CENDRILLON

DU MÊME AUTEUR

PIÈCES

Pôles suivi de *Grâce à mes yeux*, Actes Sud-Papiers, 2003.
Au monde suivi de *Mon ami*, Actes Sud-Papiers, 2004.
D'une seule main suivi de *Cet enfant*, Actes Sud-Papiers, 2005.
Le Petit Chaperon rouge, Actes Sud-Papiers, coll. "Heyoka Jeunesse",
2005 ; Babel n° 1246.
Les Marchands, Actes Sud-Papiers, 2006.
Je tremble (1), Actes Sud-Papiers, 2007 (épuisé).
Pinocchio, Actes Sud-Papiers/CDN de Sartrouville, coll. "Heyoka
Jeunesse", 2008 ; Babel n° 1313.
Je tremble (1 et 2), Actes Sud-Papiers, 2009.
Cercles/Fictions, Actes Sud-Papiers, 2010.
Cet enfant, Actes Sud-Papiers, 2010.
Ma chambre froide, Actes Sud-Papiers, 2011.
Cendrillon, Actes Sud-Papiers, coll. "Heyoka Jeunesse", 2012.
La Grande et Fabuleuse Histoire du commerce, Actes Sud-Papiers, 2012.
La Réunification des deux Corées, Actes Sud-Papiers, 2013.
Ça ira (1). Fin de Louis, Actes Sud-Papiers, 2016.

ESSAI

Théâtres en présence, Actes Sud-Papiers, coll. "Apprendre", n° 26,
2007 ; nouv. éd. 2016.

BEAU LIVRE

Joël Pommerat, troubles, avec Joëlle Gayot, Actes Sud, 2009.

EN VERSION NUMÉRIQUE

Cercles/Fictions, 2012.
La Grande et Fabuleuse Histoire du commerce, 2012.
Au monde, 2013.
Cendrillon, 2013.
Pinocchio, 2013.
Le Petit Chaperon rouge, 2014.

Photographies de couverture
et intérieur : © Cici Olsson

JOËL POMMERAT

CENDRILLON

théâtre

Postface de Marion Boudier

PERSONNAGES

Une narratrice dont on n'entend que la voix
Un homme qui fait des gestes pendant qu'elle parle
La très jeune fille
La mère
Le père
La belle-mère
Les sœurs : la grande et la petite
La fée
Le très jeune prince
Le roi
Deux gardes

PREMIÈRE PARTIE

scène 1

LA VOIX DE LA NARRATRICE. Je vais vous raconter une histoire d'il y a très longtemps… Tellement longtemps que je ne me rappelle plus si dans cette histoire c'est de moi qu'il s'agit ou bien de quelqu'un d'autre.

J'ai eu une vie très longue. J'ai habité dans des pays tellement lointains qu'un jour j'ai même oublié la langue que ma mère m'avait apprise.

Ma vie a été tellement longue et je suis devenue tellement âgée que mon corps est devenu aussi léger et transparent qu'une plume. Je peux encore parler mais uniquement avec des gestes. Si vous avez assez d'imagination, je sais que vous pourrez m'entendre. Et peut-être même me comprendre.

Alors je commence.

Dans l'histoire que je vais raconter, les mots ont failli avoir des conséquences catastrophiques sur la vie d'une très jeune fille. Les mots sont très utiles, mais ils peuvent être aussi très dangereux. Surtout si on les comprend de travers. Certains mots ont plusieurs sens. D'autres mots se ressemblent tellement qu'on peut les confondre.

C'est pas si simple de parler et pas si simple d'écouter. Quand elle était encore presque une enfant, une très jeune fille qui avait beaucoup d'imagination avait connu un très grand malheur, un malheur qui heureusement n'arrive que très rarement aux enfants. Un jour, la mère de cette très jeune fille était tombée très malade, atteinte d'une maladie mortelle. Elle ne sortait plus de sa chambre. Elle parlait d'une voix faible, tellement faible qu'on avait du mal à comprendre ce qu'elle disait. On devait sans arrêt la faire répéter.

scène 2

La chambre à coucher de la mère.

LA TRÈS JEUNE FILLE. Dis donc, tu veux pas te lever aujourd'hui ! Ça fait des semaines que t'es couchée ! Tu dois en avoir marre, non ? Moi j'en ai marre en tout cas.

(La mère, très faible, murmure quelques paroles incompréhensibles.)

J'entends pas… ! Quoi ?

(La mère, idem.)

Excuse-moi, j'entends pas maman ce que tu dis. Faudrait que tu parles plus fort… Je te l'ai déjà dit.

LA VOIX DE LA NARRATRICE. Alors parfois, la très jeune fille se sentait obligée de faire comme si elle avait très bien compris.

LA TRÈS JEUNE FILLE. T'as tout le temps envie de dormir, c'est ça que tu as dit?

LA MÈRE *(murmurant, quasiment inaudible)*. Ma chérie il faut que je te dise que je vais bientôt mourir.

LA TRÈS JEUNE FILLE. Je le sais ça, que t'as tout le temps envie de dormir.

LA MÈRE *(inaudible)*. Chérie je vais m'en aller…

LA TRÈS JEUNE FILLE. Et que t'es fatiguée?

LA MÈRE *(inaudible)*. Tu sais, je vais m'en aller pour toujours.

LA TRÈS JEUNE FILLE. Et que tu dors le jour?… Je le sais ce que tu dis. Tu veux pas qu'on aille se promener plutôt que discuter?

Un temps. La mère semble découragée. Elle détourne son visage et ferme les yeux.

LA VOIX DE LA NARRATRICE. C'était pas simple de communiquer avec sa mère et ça la fatiguait. Alors souvent, on demandait à la très jeune fille de la laisser se reposer…
Et puis un jour, on lui dit que c'était sans doute la dernière fois qu'elle la verrait. On lui dit qu'elle devait être bien courageuse et que sa mère voulait lui dire des choses importantes. La très jeune fille promit cette fois-là d'être encore plus attentive que les autres fois.

La mère murmure quelques mots à sa fille. La très jeune fille se penche vers elle.

11

LA TRÈS JEUNE FILLE *(très émue)*. Je vais te répéter pour que tu sois sûre que j'ai bien entendu : "Ma petite fille, quand je ne serai plus là il ne faudra jamais que tu cesses de penser à moi. Tant que tu penseras à moi tout le temps sans jamais m'oublier… je resterai en vie quelque part."
(Le père de la très jeune fille entre. Il entraîne sa fille vers la sortie.)
Maman, je te promets que je penserai à toi à chaque instant. J'ai très bien compris que c'est grâce à ça que tu mourras pas en vrai et que tu resteras en vie dans un endroit secret invisible tenu par des oiseaux. J'ai très bien compris que si je laissais passer plus de cinq minutes sans penser à toi ça te ferait mourir en vrai. Ne t'inquiète pas maman, je ne te laisserai pas mourir en vrai, tu peux compter sur moi. Tous les jours, à chaque minute et pendant toute ma vie, tu seras dans mes pensées… N'aie pas peur.

LA VOIX DE LA NARRATRICE. On vous l'a dit, ce n'est pas sûr que la très jeune fille ait compris parfaitement bien les paroles de sa mère. Elle avait beaucoup d'imagination et ce jour-là elle était très émue. Dans la vie, son imagination galopait parfois à toute vitesse dans sa tête et lui jouait des tours. Ce qui est certain, c'est que cette histoire n'aurait pas été la même si la très jeune fille avait entendu parfaitement ce que sa mère lui avait dit.
Mais vous le verrez, pour les histoires, les erreurs ne sont pas toujours inintéressantes…

scène 3

LA VOIX DE LA NARRATRICE. Le lendemain, la mère de
la très jeune fille mourut. A partir de ce jour, comme elle
croyait que sa mère le lui avait demandé, la très jeune
fille se promit de ne plus jamais cesser de penser à elle.
Avant, la très jeune fille aimait beaucoup laisser
son imagination prendre possession de ses pensées.
Mais maintenant tout ça, c'était bien fini. Elle devait
concentrer son esprit sur un seul et unique sujet : sa
mère… seulement sur sa mère.
Les premiers temps, c'était simple. Mais après quelques
mois, un jour, il arriva qu'elle oublie. Il arriva qu'elle
oublie pendant quelques instants. Elle eut très peur.
Le lendemain, elle demanda à son père de lui acheter
une montre. La plus grosse possible. Equipée d'une
sonnerie comme un réveil. Pour contrôler le temps.
A partir de ce jour, la très jeune fille devint très
angoissée. Sa tête était remplie de pensées de sa
mère. Elle en débordait. C'était comme si elle gros-
sissait et même enflait. Parfois elle avait peur que
sa tête éclate. Et elle commença à s'en vouloir. Elle
disait que penser à sa mère aurait dû être naturel et
non pas un effort.

scène 4

Dans une maison en verre.

LA VOIX DE LA NARRATRICE. Un peu plus tard, le
père de la très jeune fille décida qu'il était temps de

se remarier. Il avait rencontré une femme qui avait deux charmantes jeunes filles. Elles habitaient toutes les trois dans une maison très particulière. Cette maison était construite tout en verre. Oui en verre.

SŒUR LA GRANDE. Pourquoi i'z'arrivent pas?

LA BELLE-MÈRE. J'en sais rien!

SŒUR LA PETITE. Peut pas s'asseoir?

LA BELLE-MÈRE. Non! Ça fait grandir!

SŒUR LA GRANDE. Elle te va bien cette robe!

LA BELLE-MÈRE. Merci.

SŒUR LA PETITE. T'as de la chance toi, tout te va!

LA BELLE-MÈRE. Oui, je sais! Hier encore, on m'a dit la même chose dans un magasin! "C'est fou, à vous tout vous va! Et puis vous faites si jeune! Vos filles, si on savait pas que c'était vos filles, on les prendrait pour vos sœurs!"

LES DEUX SŒURS. On sait, tu nous l'as dit déjà.

LA BELLE-MÈRE. On me le dit tous les jours! C'est pour ça! C'est fatigant à la longue… Des fois même je me demande si j'aimerais pas mieux faire mon âge comme les autres!
(A travers les parois en verre de la maison, on voit arriver la très jeune fille et son père.)
Ah ben tiens les voilà, ça y est, c'est eux!

SŒUR LA GRANDE *(à la belle-mère)*. Mais pourquoi ils arrivent par là?

LA BELLE-MÈRE. Pas trop tôt!

SŒUR LA GRANDE. C'est le fond du jardin?! I'z'ont enjambé la clôture ou quoi?

SŒUR LA PETITE. C'est cux? I'sont comme ça?

SŒUR LA GRANDE. Pourquoi i'z'ont pas pris l'entrée normale? Sont abrutis?

SŒUR LA PETITE. C'est pas possible, c'est eux?!

SŒUR LA GRANDE *(à la belle-mère)*. Et lui, il est comme ça maman? Mais il est vieux, il a cinquante ans de plus que toi on dirait!

LA BELLE-MÈRE. N'exagère pas! Il est pas vieux, il fait son âge c'est tout!

SŒUR LA PETITE. I'nous voient pas!

LA BELLE-MÈRE. Oui, on voit mal à l'intérieur, de l'extérieur.

SŒUR LA GRANDE *(au téléphone)*. Allô oui, c'est moi, je t'appelle comme convenu, ça y est, i'sont là! Manque de pot, le type c'est le genre très moche.

SŒUR LA PETITE. La gosse, on dirait qu'elle est débile.

SŒUR LA GRANDE *(au téléphone)*. Il a pas l'air non plus d'avoir inventé le bocal à cornichons!

SŒUR LA PETITE. Qu'est-ce qui lui arrive à elle? Elle est bizarre!

SŒUR LA GRANDE *(au téléphone)*. Ils ont l'air vraiment étranges, ça fait très peur!

Le père aperçoit la belle-mère à travers la vitre.

LA BELLE-MÈRE *(faisant des signes au père)*. Coucou ! On est là !

SŒUR LA GRANDE *(raccrochant)*. Je te rappelle.

LA BELLE-MÈRE. Oui, bonsoir, on est là…

LES DEUX SŒURS *(faisant des signes)*. Bonsoir.

LA BELLE-MÈRE *(avec des gestes)*. Pour entrer, faut faire le tour ! L'entrée est complètement de l'autre côté… ! Là, vous êtes entrés par le mauvais côté.

Le père, qui n'a pas compris les explications de la belle-mère, continue à faire les signes de politesse.

SŒUR LA PETITE. Il t'entend pas.

Les sœurs rient.

LA BELLE-MÈRE *(avec de grands gestes explicatifs)*. Je vous dis qu'il faut faire le tour ! Faites le tour ! L'entrée est de l'autre côté de la maison ! Par là ! *(Le père ne comprend toujours pas.)* Je vous dis que pour entrer il faut faire le tour, faites le tour par là !

LES DEUX SŒURS *(plus fort)*. Faites le tour !

LA BELLE-MÈRE *(de plus en plus agacée)*. Faites le tour on vous dit, c'est pas vrai !

Le père semble avoir compris mais montre dans l'autre direction.

LES DEUX SŒURS *(riant)*. Nooooooooon !

LA BELLE-MÈRE *(très énervée).* Mais non, pas de ce côté… ! De l'autre, on vous dit !

Le père part du mauvais côté.

LA BELLE-MÈRE ET LES DEUX SŒURS *(ensemble).* Nooooooooooon !

SŒUR LA GRANDE. I'sont trop cons !

Les sœurs s'esclaffent.

LA BELLE-MÈRE. C'est bon, je vais les chercher, je crois qu'ils ont du mal à comprendre…

Elle sort.

scène 5

A l'intérieur de la maison en verre. La très jeune fille et son père ont rejoint les trois femmes. La très jeune fille porte un petit sac à dos.

LA BELLE-MÈRE. Voilà, ça c'est notre chez-nous. Et ce chez-nous, j'espère, va bientôt devenir votre chez-vous à vous aussi !

LE PÈRE. On va tout faire pour ça en tout cas, je te promets !
(Se tournant vers sa fille :) Hein… t'es d'accord, Sandra ?

La très jeune fille ne répond pas et regarde sa montre. Un temps.

SŒUR LA PETITE *(se retenant de rire).* T'as une grosse montre toi dis donc !

LA TRÈS JEUNE FILLE. Oui, c'est pour surveiller le temps qui passe et surtout pas oublier de penser à ma mère pendant trop longtemps de suite. Elle fait sonnerie en plus.

SŒUR LA GRANDE. Ah bon ? C'est quoi cette histoire ?

LA TRÈS JEUNE FILLE. Ma mère m'a demandé de jamais arrêter de penser à elle.
Sinon, si j'arrêtais de penser à elle pendant plus de cinq minutes, ça la ferait mourir pour de vrai.

LA BELLE-MÈRE *(crispée).* Ça c'est marrant ça comme histoire ! C'est joli !

La montre de la très jeune fille se met à sonner. Une musique entêtante.

LE PÈRE *(riant).* Ouais, c'est un peu une histoire de gosse ! Je sais pas d'où elle sort ça !

LA TRÈS JEUNE FILLE *(à son père).* Qu'est-ce que tu racontes toi ? T'es débile ou quoi ?

LA BELLE-MÈRE *(outrée).* Dis donc c'est comme ça que tu parles à ton père ?! Ça va pas pouvoir se passer comme ça ici tu sais !
(Petit temps.)
Bon, moi je voulais vous dire deux mots sur "votre" nouvelle maison très moderne et un peu particulière dans laquelle vous allez vivre à partir d'aujourd'hui. Cette maison, c'est une maison unique,

non seulement parce qu'elle est entièrement transparente et construite en verre…

LE PÈRE. Oui, c'est très étonnant et très moderne.

SŒUR LA PETITE. D'ailleurs, les oiseaux n'arrêtent pas de s'écraser contre les vitres du fait qu'ils voient pas qu'y a des vitres justement.

SŒUR LA GRANDE. Et on ramasse tous les jours des dizaines de cadavres d'oiseaux morts.

Pendant ce temps, la très jeune fille sort un album de photos de son sac à dos et commence à le consulter. Elle se dirige vers les deux sœurs.

LA BELLE-MÈRE. Non seulement cette maison est en verre, mais elle a été construite par un architecte mondialement connu… Son nom va peut-être vous dire quelque chose…

LA TRÈS JEUNE FILLE *(montrant les photos de son album aux deux sœurs)*. Tenez, ça c'est une photo de ma mère quand elle était jeune. Elle avait les cheveux courts à cette période. Mais après elle a toujours eu les cheveux longs ! Elle disait que ça lui allait beaucoup mieux.
(A son père :) T'en pensais quoi toi au fait ?

LE PÈRE. Tiens, range cet album dans ton sac maintenant !

La très jeune fille s'éloigne des deux sœurs mais ne cesse de regarder ses photos.

LA BELLE-MÈRE *(troublée)*. Qu'est-ce que je disais ?

LE PÈRE. Tu parlais de la personne qui a construit la maison tout en verre.

LA BELLE-MÈRE. Oui, c'est quelqu'un de très moderne il a un nom très compliqué vous connaissez peut-être? Il s'appelle…

Elle cherche.

SŒUR LA GRANDE. Comment il s'appelle?

La très jeune fille se dirige à nouveau vers les sœurs.

LA BELLE-MÈRE *(très perturbée).* Euh, je sais plus…

LA TRÈS JEUNE FILLE *(montrant les photos de son album aux sœurs).* Ça c'est une autre photo, je vous la montre parce que ça me fait trop plaisir de vous la montrer, c'est une photo de ma mère et de mon père quand ils étaient venus me voir à un spectacle de fin d'année à la maternelle.

LE PÈRE *(autoritaire).* Ferme cet album Sandra, c'est pas le moment!

LA TRÈS JEUNE FILLE. Mon père avait dit en cachette pour pas que j'entende qu'il s'était jamais autant emmerdé de sa vie.
(A son père.) Hein, tu te souviens?
(Aux autres.) Ma mère ça la faisait rire que mon père n'aime pas venir aux spectacles de fin d'année des gosses! *(A son père.)* Non?

LA BELLE-MÈRE *(au père).* Tu peux pas faire quelque chose s'il te plaît, c'est un peu insupportable, non?!

LA TRÈS JEUNE FILLE *(aux deux sœurs)*. Ah oui, et ça c'est une photo un peu particulière, un peu cochonne "olé ! olé !" comme on dit entre mon père et ma mère.

Le père saisit l'album des mains de la très jeune fille et le range dans son sac à dos.

LA BELLE-MÈRE *(au père)*. Merci.
(A tous.) Voilà, à partir d'aujourd'hui, c'est un grand soir, un grand jour qui commence parce que nos deux familles vont essayer de se fondre et de se souder entre elles.
(Elle s'interrompt.)
Et puis Sandrine tu vas poser ton sac maintenant s'il te plaît !

LA TRÈS JEUNE FILLE *(rectifiant)*. Sandra.

LA BELLE-MÈRE. Oui enfin Sandra… on garde pas son sac à l'intérieur de la maison.

LA TRÈS JEUNE FILLE. Non, j'ai pas tellement envie.

LE PÈRE. Pose ce sac on te dit !

LA BELLE-MÈRE. Pourquoi tu cherches à me contredire, dis-moi ? Et que tu ne veux pas poser ce sac ?

SŒUR LA GRANDE. Elle est spéciale cette gamine, dis donc ?

LA BELLE-MÈRE. Je te demande pour la dernière fois de poser ce sac.
(La montre de la très jeune fille se met à sonner. Même musique entêtante.)

Là j'en peux plus.
(Elle explose.)
Pose ce sac immédiatement.

LA TRÈS JEUNE FILLE. Non.

LA BELLE-MÈRE. Pose ce sac !

LA TRÈS JEUNE FILLE. Non.

LA BELLE-MÈRE. Pose ce sac !

LA TRÈS JEUNE FILLE. Non.

scène 6

Sous-sol de la maison.
La belle-mère et les sœurs font visiter à la très jeune
fille sa nouvelle chambre. Une pièce quasiment vide.
Un lit. Une armoire. Obscurité.

SŒUR LA GRANDE *(à la très jeune fille)*. Avant c'était
une cave, c'est pour ça qu'il n'y a pas de fenêtres.

LA BELLE-MÈRE. Non, mais y a des murs.

SŒUR LA PETITE. Oui, quatre murs !

SŒUR LA GRANDE. C'est déjà pas mal !

Les sœurs pouffent de rire.

LA BELLE-MÈRE. On s'était demandé avant que tu
arrives si en attendant la fin des travaux, tu voudrais
pas aller dormir ce soir avec tes sœurs dans une de
leurs chambres ?

LES DEUX SŒURS. Non mais ça va pas !

LA BELLE-MÈRE. Mais en y réfléchissant mieux, après on s'est dit que tu préférerais sans doute avoir ton indépendance et ça dès le premier soir.

LES DEUX SŒURS. Ben oui, c'est mieux !

LA BELLE-MÈRE *(à la très jeune fille).* Est-ce que je me trompe ?

LA TRÈS JEUNE FILLE. Pardon, c'était quoi la question ?

Le père entre dans la chambre.

LE PÈRE. C'est quoi ici ?

LES DEUX SŒURS. C'est la chambre de Sandra.

Petit temps. Le père semble surpris.

SŒUR LA GRANDE *(au père).* Avant c'était une cave, c'est pour ça qu'y a pas de fenêtres.

SŒUR LA PETITE. Mais y a des murs.

SŒUR LA GRANDE. Quatre.

SŒUR LA PETITE. Et c'est bien situé.

SŒUR LA GRANDE. Au nord.

Les sœurs pouffent de rire.

LA BELLE-MÈRE *(au père).* L'état où tu vois cette chambre est un état provisoire évidemment. C'est l'état où elle est parce qu'on a pas eu le temps de finir les travaux nécessaires. C'est provisoire. Faut que tu imagines ce que ça va pouvoir devenir un jour quand les travaux seront finis.

LE PÈRE. Oui.

LA BELLE-MÈRE. Ça va devenir une vraie chambre, une chambre moderne en plus.
(A la très jeune fille :) Encore plus belle et plus moderne même je crois que celles de tes sœurs qui vont en être très jalouses.
(Aux sœurs :) Hein?

SŒUR LA GRANDE *(très ironique)*. Brrrrrr je suis jalouse moi, je sais pas si je vais arriver à dormir!

LA BELLE-MÈRE *(au père)*. En plus c'est cher…

LE PÈRE. Ah bon…?
(A sa fille.) Va peut-être falloir faire un petit effort d'imagination pendant quelque temps, mais ça en vaut peut-être la peine, tu ne penses pas?

LA TRÈS JEUNE FILLE. Si si, sans doute.

LE PÈRE *(aux autres)*. Elle est gentille Sandra! Elle est simple à vivre! Vous verrez.

LA BELLE-MÈRE *(au père, agacée)*. Je crois surtout qu'on se moque pas d'elle.

LE PÈRE. Non mais au premier abord on se demande… Ensuite… avec tout ce que tu m'as dit… c'est vrai… on se dit que peut-être…

LA BELLE-MÈRE *(de plus en plus agacée)*. "On se dit que peut-être." Tu pourrais peut-être être un petit peu plus enthousiaste avec tous les efforts qu'on fait pour vous accueillir ta fille et toi ! Ça fait vraiment plaisir, merci.

LE PÈRE. Je m'excuse, c'est pas ce que je voulais…

LA BELLE-MÈRE *(explosant)*. Bon ben, tais-toi alors. *(A la très jeune fille :)* Et qu'est-ce que tu en penses, toi ? Tu dis rien ! Ça te plaît, ça te convient ?

LA TRÈS JEUNE FILLE. De toute façon, je mérite pas d'avoir de trop belles affaires à moi. Je crois que ça va me faire du bien de me sentir un peu mal ! Ça va me faire un peu les pieds !

SŒUR LA GRANDE. Qu'est-ce qu'elle raconte ?

LE PÈRE. Je sais pas, c'est un délire de gosse.

LA TRÈS JEUNE FILLE *(au père)*. L'important pour moi, c'est que je puisse avoir le corps de maman avec moi pour dormir avec la robe du mercredi dessus.

LA BELLE-MÈRE *(au père)*. Tu peux m'expliquer ?

LE PÈRE *(à sa fille)*. Je t'ai dit qu'on en parlerait plus tard de ça, mais pas maintenant ! C'est pas vrai ! Tu m'énerves Sandra !

LES DEUX SŒURS *(l'imitant)*. "Tu m'énerves Sandra !"

Hurlements de la sœur (la grande).

LA BELLE-MÈRE *(sursautant, à sa fille)*. Qu'est-ce qu'il y a ?

SŒUR LA GRANDE *(effrayée)*. J'ai vu une araignée sur ma chaussure, énorme grosse comme une brosse à cheveux! Avec deux yeux qui me fixaient fixement dans les yeux.

LE PÈRE *(très inquiet)*. Ah bon?

LA BELLE-MÈRE. Les araignées ne mangent pas les enfants, par contre, elles mangent les mouches et c'est très bien parce que les mouches ça empêche de dormir la nuit!

SŒUR LA GRANDE *(sortant)*. Bon ben moi j'y vais.

SŒUR LA PETITE *(sortant aussi)*. Moi aussi.
(Son téléphone sonne.) Allô! Attends, je vais te raconter.

LA BELLE-MÈRE *(à la très jeune fille)*. Ben nous aussi, on va te laisser alors, tu dois être bien fatiguée, c'était une grande journée dis donc pour toi!

Elle commence à sortir, le père la suit.

LE PÈRE *(à sa fille)*. Je repasse te voir tout à l'heure pour voir si tu manques de rien. A tout de suite.

Ils sortent. La très jeune fille est seule maintenant dans sa chambre.

scène 7

Quelques heures plus tard. La nuit. Au même endroit.
Obscurité complète.

26

La très jeune fille est couchée dans son lit. Elle a peur.
Pour se donner du courage, elle chante la chan-
son de "L'empereur, sa femme et le petit prince".
"Lundi matin, l'empereur, sa femme et le p'tit prince,
sont venus chez moi, pour me serrer la pince..."

LA VOIX DE LA NARRATRICE. Cette première nuit
dans sa nouvelle chambre provisoire, la très jeune
fille ne se sentait pas bien du tout.

scène 8

Plus tard, dans les couloirs de la maison.
Le père de la très jeune fille entre, avec dans les
bras un mannequin de femme revêtu d'une robe de
soirée. La belle-mère, qui l'attendait, le surprend.

LA BELLE-MÈRE. Tu vas où comme ça?

LE PÈRE. Ah, c'est toi?

LA BELLE-MÈRE. Oui, c'est moi! T'as l'air surpris
de me voir on dirait.

LE PÈRE. Non!

LA BELLE-MÈRE. Ben si on dirait!

LE PÈRE. Je pensais que tu dormais! C'est pour ça!

LA BELLE-MÈRE. Ben oui, je dormais mais je dors
plus, tu vois! J'ai entendu du bruit! Ça m'a réveil-
lée! Alors je me suis levée.

LE PÈRE. C'est bête.

LA BELLE-MÈRE. Ben oui c'est bête.
(Désignant le mannequin.) Tu peux me dire ce que tu fais à rôder à une heure pareille avec ça?

LE PÈRE *(comme étonné).* Avec ça?

LA BELLE-MÈRE *(insistant).* Oui ça!

LE PÈRE. Ah ça!

LA BELLE-MÈRE. Oui ça!

LE PÈRE. Ça c'est rien!

LA BELLE-MÈRE. C'est rien? Et qu'est-ce que tu fais avec "rien" à traîner la nuit dans les couloirs?

LE PÈRE. …

LA BELLE-MÈRE. Tu réponds pas?
(Désignant le mannequin.) Je te demande c'est quoi ça?

LE PÈRE *(jouant l'incompréhension).* Ça?

LA BELLE-MÈRE *(insistant encore).* Oui ça!

LE PÈRE. Ah ça.

LA BELLE-MÈRE *(exaspérée).* Tu me prends vraiment pour une idiote toi!

LE PÈRE. Ah mais ça, c'est une robe c'est tout!

LA BELLE-MÈRE. Ça c'est une robe c'est tout?! Une robe à qui?

LE PÈRE. Comment ça à qui?

LA BELLE-MÈRE. Oui, à qui?

LE PÈRE. Ah!… A sa mère!

LA BELLE-MÈRE. Sa mère à qui?

LE PÈRE. Sa mère à Sandra.

LA BELLE-MÈRE *(explosant)*. Sa mère à Sandra? Tu as gardé une robe de la mère de ta fille avec toi et tu l'as emmenée ici! Une robe de ton ex-femme! Et tu la promènes avec toi dans les couloirs?! La nuit! Serrée contre toi!

Le père pose le mannequin.

LE PÈRE. Mais non.

LA BELLE-MÈRE. Mais non quoi?

LE PÈRE. Mais non!

LA BELLE-MÈRE *(l'imitant)*. "Mais non!" et tu la transportes où cette robe de ta femme?!

LE PÈRE. Je l'emmène juste dans sa chambre!

LA BELLE-MÈRE. Dans sa chambre à qui?

LE PÈRE. Dans sa chambre à Sandra.

LA BELLE-MÈRE. Vous vous réunissez toi et ta fille dans sa chambre avec la robe de ta femme décédée?

LE PÈRE *(se rapprochant de la belle-mère)*. Je vais t'expliquer, tu vas voir c'est simple… Cette robe c'est tout simple, pour elle, pour Sandra… c'est sa mère!

LA BELLE-MÈRE. Pour ta fille, cette robe c'est sa mère?!

29

LE PÈRE. Oui ! Chez nous, elle avait l'habitude de l'avoir avec elle dans sa chambre, ça l'aide à dormir ! C'est des trucs de gosses ça ! C'est pas grave ! Ça va lui passer ! Après, elle nous laissera tranquilles, tu vois ! Elle fera sa petite vie avec sa mère... avec la robe de sa mère et voilà ! C'est pour nous que je fais ça en réalité ! Pour qu'on se retrouve nous ! Nous deux !

Un temps.

LA BELLE-MÈRE. Jamais !

LE PÈRE. Quoi jamais !

LA BELLE-MÈRE. Jamais ton ex-femme ne viendra dans ma maison !

LE PÈRE. Mais elle est morte.

LA BELLE-MÈRE. Ça m'est égal ! Il est hors de question qu'elle habite chez moi ! C'est tout.
(La très jeune fille surgit dans le couloir, se saisit du mannequin et sort très rapidement avec. Le père et la belle-mère n'ont pas eu le temps d'intervenir. Ils ont l'air sidérés.)
Qu'est-ce qui s'est passé ? C'est quoi ça ?

LE PÈRE. C'est Sandra.

LA BELLE-MÈRE. C'est Sandra quoi ?

LE PÈRE. Qui est entrée... et qui a emmené la robe.

LA BELLE-MÈRE. Ben oui j'ai bien vu ! Et qu'est-ce que tu fais ?

LE PÈRE. Qu'est-ce que je fais ?

LA BELLE-MÈRE. Qu'est-ce que tu fais ?

LE PÈRE. Je vais réfléchir.

LA BELLE-MÈRE. Tu vas réfléchir ?

LE PÈRE. Oui.

LA BELLE-MÈRE. Tu vas immédiatement aller chercher cette robe dans la chambre de ta fille, tu la remontes, tu la jettes dans le jardin et tu la brûles.

LE PÈRE. Je la brûle ?

LA BELLE-MÈRE. Ça te pose un problème ?

LE PÈRE. Jamais Sandra ne sera d'accord.

LA BELLE-MÈRE. Je te demande pas de demander son avis à ta fille. Tu vas aller lui reprendre cette robe, tu lui dis que tu lui rapporteras, qu'on va la réparer parce qu'elle l'avait abîmée, sa mère, cette robe… ou n'importe quelle autre salade qu'on raconte aux enfants mais tu te dépêches !

LE PÈRE. C'est pas simple.

LA BELLE-MÈRE. Ah ben non, c'est pas simple de se conduire comme un adulte avec ses enfants, voilà, tu réfléchis, tu choisis : ton ex-femme ou bien moi ? Ta vie ici ou bien ailleurs, voilà c'est clair ! A toi de décider ! … Alors ?

LE PÈRE. J'y vais.

LA BELLE-MÈRE. Très bien. Je t'attends en haut, dans le jardin.

Le père sort en direction de la chambre de sa fille. La belle-mère s'en va du côté opposé.

scène 9

LA VOIX DE LA NARRATRICE. Après que son père est venu lui reprendre la robe qui avait appartenu à sa mère, la solitude de la très jeune fille était devenue encore plus difficile à supporter que d'habitude. Alors, ce qu'elle s'était empêchée de faire depuis des mois, elle le recommença.
(Temps.)
Elle se laissa aller à imaginer des histoires qui la réconfortaient, qui la faisaient sourire et qu'elle projetait sur les murs autour d'elle. Mais au bout d'un temps incertain, la très jeune fille se rendit compte que sa montre avait dysfonctionné et qu'elle n'avait pas sonné. Elle n'avait peut-être pas changé la pile. Emportée par son imagination, elle avait oublié encore une fois de penser à sa mère.
Aucun reproche n'aurait été à la hauteur de la colère qu'elle ressentait contre elle-même. Elle aurait aimé que quelqu'un puisse la punir et qu'elle souffre atrocement. Mais quelle punition serait à la hauteur du crime qu'elle avait peut-être commis cette nuit-là ?

scène 10

Le lendemain.
La famille est réunie. La belle-mère tient un petit papier à la main. La très jeune fille a l'air sombre.

LA BELLE-MÈRE. Dans cette maison donc, depuis toujours, les enfants aident aux tâches ménagères et participent à des travaux simples de rangement et de nettoyage. Ils aident la femme de ménage.

LE PÈRE. Ah bon ?

LES DEUX SŒURS. Oui absolument et on aime bien ça.

LE PÈRE. Ah ben c'est bien.

LES DEUX SŒURS. Oui.

LA BELLE-MÈRE. Et ce matin, j'aimerais qu'on parle de cette nouvelle répartition des tâches entre vous.

SŒUR LA PETITE. Super !

LA BELLE-MÈRE *(à ses filles)*. Alors voilà, j'ai réfléchi à une juste répartition parce que c'est important évidemment que tout ça soit juste et équitable, évidemment.

LE PÈRE. Evidemment.

LA BELLE-MÈRE *(consultant son papier, à ses filles)*. Alors voilà, tout d'abord, en ce qui vous concerne, j'ai pensé que vous deux vous pourriez à partir de maintenant aider la femme de ménage à ranger votre linge propre dans les tiroirs de vos armoires.

LES DEUX SŒURS *(surprises)*. Ah bon ?

LA BELLE-MÈRE *(fermement)*. Oui, c'est comme ça. *(A la très jeune fille.)* Et toi Sandra, j'ai pensé que tu pourrais aider la femme de ménage à changer les poubelles des différents sanitaires, salles de bains, buanderie, cuisine et aider à porter tout ça ensuite dans le local à poubelle du jardin.

Tu es d'accord?

LA TRÈS JEUNE FILLE. Changer les poubelles? Oui je suis d'accord! Ah oui, c'est très bien ça.

LE PÈRE. Voilà très bien… c'est gentil! Ne t'inquiète pas, elle est simple et gentille, Sandra.

LA TRÈS JEUNE FILLE *(à son père)*. Qu'est-ce tu racontes toi? Je suis pas du tout gentille! Si les gens pouvaient voir comment je suis vraiment en vrai, i'diraient pas que je suis gentille!

LE PÈRE. Tais-toi s'il te plaît Sandra, arrête de dire n'importe quoi.

LA BELLE-MÈRE. Bon, très bien, ensuite je propose que vous les filles, vous aidiez la femme de ménage pendant qu'elle s'occupe de la cuisine.

LES DEUX SŒURS. Ah bon?

LA BELLE-MÈRE. Hé oui.

SŒUR LA PETITE. C'est pas des tâches comme ça qu'on faisait avant.

SŒUR LA GRANDE. Mais c'est dégoûtant d'aller à la cuisine, c'est plein de gras, on t'a déjà dit qu'on aimait pas faire ça, la graisse incrustée dans le four par exemple, ça donne envie de vomir tellement c'est dégueulasse.

LA BELLE-MÈRE. Hé bien, on discute pas.
(La très jeune fille lève la main.)
Oui quoi?

34

LA TRÈS JEUNE FILLE. Si ça leur pose un problème à elles, je crois que je vais bien aimer ça, de nettoyer le gras de la cuisinière, racler le gras du four, je crois que je vais aimer ça. Ça va me faire du bien de faire ça. En plus la graisse et le gras dans le four, je les ai déjà fait une fois… C'est vraiment dégoûtant. Ma mère était sortie, je sais pas pourquoi je m'étais mise à le faire, ma mère en rentrant elle m'avait dit…

LE PÈRE *(avec un geste en direction de sa fille).* Arrête!

LA TRÈS JEUNE FILLE *(ne pouvant s'empêcher de raconter).* Elle était fort énervée ce jour-là…
(Le père fait signe à sa fille de se taire. Elle se tait puis elle reprend.)
C'était rare pourtant qu'elle s'énerve ma mère…

Le père fait un geste de menace à sa fille.

LA BELLE-MÈRE *(explosant, à la très jeune fille).* Mais qu'est-ce qu'on t'a dit tout à l'heure?! On ne parle plus de ta mère ici, on en parle plus! Plus jamais! On s'en fout de ta mère! On s'en fout qu'elle était gentille! Ça suffit avec ta mère! Ça suffit! Ça suffit!

LE PÈRE. Qu'est-ce qu'on t'a dit tout à l'heure, Sandra!

LA TRÈS JEUNE FILLE. Ah oui, c'est vrai! J'avais oublié.

Un temps. La montre de la très jeune fille se met à sonner. Même musique que d'habitude.

LA BELLE-MÈRE *(à la très jeune fille, avec une colère froide)*. Tu vas t'occuper de la cuisine! Racler la cuisinière! Et le four aussi! T'occuper du gras dans la cuisine!

LA TRÈS JEUNE FILLE *(comme satisfaite)*. Merci! Très bien.

LA BELLE-MÈRE. A la place de la femme de ménage.

LA TRÈS JEUNE FILLE. Merci.

Un temps.

LA BELLE-MÈRE. Où j'en étais?
(Aux sœurs.) Vous! Une fois par mois, vous trierez les magazines publicitaires qui s'entassent sous la télévision.

SŒUR LA PETITE. Avec la femme de ménage?

LA BELLE-MÈRE. Oui.

LA TRÈS JEUNE FILLE *(assez bas, mais audible)*. Ma mère, les journaux publicitaires elle les jetait.

Le père fait signe à sa fille de se taire.

LA BELLE-MÈRE *(à la très jeune fille)*. Et toi tu ramasseras les oiseaux morts qui s'écrasent contre les vitres dans le jardin et qui s'entassent par terre.

LA TRÈS JEUNE FILLE *(satisfaite)*. Très bien, ça c'est bien, je vais aimer faire ça ramasser les cadavres d'oiseaux, ça va me faire du bien de ramasser des oiseaux morts, avec mes mains.
(Un petit temps.)
Ma mère, elle aimait bien les oiseaux.

Le père fait signe à sa fille de se taire.

LA BELLE-MÈRE *(à la très jeune fille)*. Tu nettoieras les cuves des sanitaires, les cuves des sept sanitaires des trois étages.

LA TRÈS JEUNE FILLE *(satisfaite)*. Je crois que je vais aimer faire ça les cuves des sept sanitaires, ça va me faire du bien de nettoyer les cuves des sept sanitaires.

LA BELLE-MÈRE. Voilà.

LE PÈRE *(à la belle-mère)*. Ça va peut-être aller comme ça ?!

Un temps.

LA TRÈS JEUNE FILLE *(au père)*. Tu te souviens, maman, elle détestait faire ça les sanitaires ?

Le père a l'air accablé.

LA BELLE-MÈRE *(de plus en plus violente, à la très jeune fille)*. Et tu nettoieras les lavabos et les baignoires de toute la maison, tu les déboucheras aussi, partout où ils sont encombrés et bouchés, surtout dans la chambre des filles, tu retireras les touffes de cheveux, les touffes de mèches de cheveux emmêlés et mélangés avec la crasse.

LE PÈRE *(à la belle-mère)*. Ça va aller !

LA TRÈS JEUNE FILLE. Oui, ça aussi, je crois que je vais aimer ça, retirer les cheveux des lavabos, c'est dégueulasse, ça va me faire du bien.

LA BELLE-MÈRE. Parfait.

LA TRÈS JEUNE FILLE. En plus, ma mère elle avait les cheveux longs et elle en mettait toujours partout.

Le père, dépassé, semble désespéré.

LA BELLE-MÈRE. Voilà. Et ça c'est une première répartition des tâches pour commencer et démarrer la nouvelle organisation des choses pratiques ici dans cette maison, on continuera ça un peu plus tard.

Elle sort, suivie de ses deux filles. Le père allume une cigarette.

LE PÈRE *(à sa fille).* Tu comprends, je sais que tu es en âge de comprendre les choses, tu deviens une grande fille, il faut que tu essayes de me comprendre un petit peu, il faut que tu m'aides.
Tu sais, j'ai une vie moi aussi, je ne peux pas vivre dans le passé toute ma vie. Je suis encore jeune, je veux être heureux, j'ai envie de tourner la page, j'ai envie de refaire ma vie, de recommencer une nouvelle vie… Il faut que tu fasses des efforts et que tu comprennes ça, s'il te plaît, sinon ça ne marchera pas.

On entend la belle-mère : "Et alors qu'est-ce que tu fais toi, tu viens ? J'ai à te parler." Le père, surpris et effrayé, tend brusquement sa cigarette à la très jeune fille et sort rejoindre la belle-mère. La très jeune fille écrase la cigarette sur la semelle de sa chaussure.

scène 11

Dans la buanderie.
Les deux sœurs sont assises près d'une machine
à laver.

LA VOIX DE LA NARRATRICE. Plusieurs semaines passèrent. La très jeune fille acceptait tout ce qu'on lui demandait de faire dans la maison sans jamais discuter. Ça rendait son père de plus en plus nerveux. Alors il fumait. Beaucoup. En cachette de sa future femme.

SŒUR LA PETITE *(occupée avec son téléphone)*.
Fuck fuck fuck fuck !

SŒUR LA GRANDE *(parlant au téléphone)*. Mais non, c'est horrible, c'est complètement injuste, on est quasiment en esclavage. Je sais pas ce qu'on a fait pour mériter ça, ça a débloqué d'un coup dans la tête de ma mère, on dirait ! Je te rappelle…

Elle raccroche.

SŒUR LA PETITE. *Fuck.*

SŒUR LA GRANDE. On est revenues au temps de la galère. On se fait exploiter là.

SŒUR LA PETITE. *Fuck.*

La très jeune fille entre. Elle porte une grande panière de linge propre.

SŒUR LA GRANDE. Salut Sandra !

SŒUR LA PETITE. Hé, t'as pas l'heure ?

(La très jeune fille s'arrête, regarde sa montre. La sœur petite à la grande.)
Hé on dirait qu'elle sent la cigarette…
(A la très jeune fille.) Tu fumes ou quoi?

LA TRÈS JEUNE FILLE. Mais non je fume pas.

SŒUR LA GRANDE. On va le dire à ton père si tu fumes, il va pas être content de savoir que sa fille est devenue droguée.

SŒUR LA PETITE *(pouffant de rire).* Sandra… Cendrier!

SŒUR LA GRANDE *(pouffant de rire).* T'es déjà levée ou t'es pas encore couchée, Cendrier?

SŒUR LA PETITE. Tu t'es occupée des poubelles ce soir?

LA TRÈS JEUNE FILLE. Ben oui, c'était le soir du camion qui passe.

SŒUR LA PETITE. Faut se laver de temps en temps, Cendrier.

SŒUR LA GRANDE. La vieille clope et les vieilles poubelles en même temps c'est pas terrible comme mélange. Où tu vas maintenant?

LA TRÈS JEUNE FILLE. Je vais ranger ça dans les armoires, c'est repassé! Après j'ai encore un truc à faire, ensuite je vais me coucher.

La très jeune fille se gratte la tête.

SŒUR LA GRANDE. Arrête de te gratter.

SŒUR LA PETITE *(à la très jeune fille).* C'est nerveux ?

SŒUR LA GRANDE *(simulant un appel téléphonique).* Allô oui ? Ah bon ? ok, je vous la passe… Hé Cendrier c'est quelqu'un pour toi !

LA TRÈS JEUNE FILLE. Ah bon ?

SŒUR LA GRANDE. C'est quelqu'un que t'as pas eu au téléphone depuis longtemps i'paraît…

(Un temps.)

C'est ta mère, tu la prends ?

LA TRÈS JEUNE FILLE.…

SŒUR LA GRANDE. Tu la prends pas ?

SŒUR LA PETITE. C'est pas sympa ! Elle appelle de vachement loin, c'est cher la communication !

Elles pouffent de rire.

SŒUR LA GRANDE *(simulant toujours la conversation téléphonique).* Allô oui ? Quoi ? Ah bon ?

(A la très jeune fille.) Ah ben non, finalement, elle veut pas te parler… Elle dit qu'elle a autre chose à faire en fait là, maintenant…

(La très jeune fille reste figée.)

Bon, laisse-nous maintenant, on a du boulot.

SŒUR LA PETITE. On doit actionner le bouton d'ouverture de la machine quand elle sera terminée.

LA TRÈS JEUNE FILLE. C'est ça le boulot que vous avez à faire ?

LES DEUX SŒURS. Oui et alors ?!

41

LA TRÈS JEUNE FILLE. C'est moi qui dois étendre le linge qui est à l'intérieur, je peux actionner le bouton à votre place si vous voulez.

SŒUR LA GRANDE. Tu ferais ça pour nous ?

SŒUR LA PETITE. T'es trop gentille !

LA TRÈS JEUNE FILLE *(fermement)*. Mais non, je suis pas trop gentille !

SŒUR LA GRANDE. En tout cas, merci quand même.

SŒUR LA PETITE. On te revaudra ça !

SŒUR LA GRANDE. Salut Cendrier !

SŒUR LA PETITE. Et vas-y doucement avec la…

Elle fait le geste de fumer.

Les deux sœurs sortent. La belle-mère entre.

LA BELLE-MÈRE *(à la très jeune fille)*. T'es encore là toi ! Qu'est-ce que tu fais là comme ça, inerte ? On dirait un poisson crevé qui flotte à la surface de l'eau ! Il est où ton père, il est pas là ? Tu rêvasses ? Faut arrêter avec les rêvasseries, faut entrer dans la vie réelle ma petite fille maintenant ! Qu'est-ce que tu te tiens mal en plus, c'est pas possible ! T'as vu comment tu te tiens ? On dirait une mémé, pas une jeune fille ! T'es négligée, tu sais ça ? Tu fais pas attention à ton apparence ! T'as vu comme t'es voûtée ! On dirait que t'as quatre-vingt-dix ans ! Fais des efforts ! Déjà tiens-toi droite ! Trouve une prestance ! Mets de l'énergie en toi ! Le reste suivra peut-être ! On devra peut-être t'installer quelque chose dans le dos, tu sais ça?! Si ça continue! Un truc qui t'empêche de grandir de travers! Je dis ça, c'est pour ton bien! Sinon tu vas ressembler à une mémé dans deux ans!

Tu sais, c'est important pour une femme de prendre soin de son image! C'est avec ça qu'elle avance dans la vie une femme, une femme moderne!

Tu vas devenir une femme bientôt… T'as conscience de ça?! Regarde-moi! Tu me donnes quel âge à moi par exemple!?

(La très jeune fille murmure quelque chose.)

Comment? J'ai pas entendu!

Hé bien moi je me tiens! C'est comme une posture là dans ma tête! Je refuse de me laisser aller! Je refuse de vieillir! Je refuse de faire comme les autres! Je me bats! C'est pour ça qu'on me dit que je ne fais pas mon âge! Et que mes filles pourraient être mes sœurs! On les prend pour mes sœurs! Sans arrêt! Je suis jeune d'abord là! Là-dedans.

(Elle montre sa tête.)

Je m'efforce de rester jeune là et c'est pour que ça transpire à l'extérieur, dans mon corps et que les autres le voient.

SŒUR LA GRANDE *(entrant, suivie de sa sœur et s'adressant à sa mère)*. Hé y a un problème, on dirait.

LA BELLE-MÈRE *(à la très jeune fille)*. Tu comprends ce que je te dis? Ou pas?

SŒUR LA PETITE *(à sa mère, insistante)*. Y a un problème.

SŒUR LA GRANDE. Y a un gros problème.

LA BELLE-MÈRE *(à la très jeune fille)*. Tu comprends pas, on dirait?

SŒUR LA PETITE *(à sa mère)*. Je viens de me gratter la tête.

SŒUR LA GRANDE. Elle vient de se gratter la tête à l'instant, deux fois de suite.

LA BELLE-MÈRE *(à ses filles)*. Et alors?

SŒUR LA GRANDE. Ben, on a vu Cendrier se gratter tout à l'heure, elle a des bêtes dans les cheveux ça se trouve et elle nous les a refilées.

LA BELLE-MÈRE *(à ses filles)*. Arrêtez vos délires! Je suis en train d'expliquer à Cendrier… à Sandra qu'on dirait une mémé tellement elle se tient mal! Et qu'elle se néglige. Tenez puisque vous êtes là… *(Elle se place à côté de la très jeune fille.)* Si je me mets là, à côté, là, imaginez que vous ne nous connaissez pas, vous nous croisez dans la rue, vous nous voyez arriver… Vous pensez… Quoi? Qui fait plus jeune?

SŒUR LA GRANDE. Ben toi c'est sûr!

LA BELLE-MÈRE *(à la très jeune fille)*. Tu vois, qu'est-ce que je te disais! Même si ça me flatte et que ça devrait pas! C'est quand même grave d'en arriver là, tu ne crois pas? Tu te rends compte?… Faut faire quelque chose là non? T'as quel âge?

La très jeune fille se gratte la tête.

SŒUR LA PETITE. Elle s'est grattée encore, je l'ai vu. *(A sa mère.)* T'as vu ou pas ?

SŒUR LA GRANDE *(à sa sœur)*. Viens, on va à la salle de bains, on va regarder ta tête.

SŒUR LA PETITE *(prise de panique)*. Oh non, c'est pas vrai, je veux pas que ça m'arrive à moi ! Pas à moi ! Pas maintenant ! Je suis trop jeune ! Je suis trop pure ! J'ai rien fait pour mériter ça.

Elles sortent.

LA BELLE-MÈRE *(à ses filles)*. Arrêtez de paniquer, y a pas de bêtes à la maison.
(A la très jeune fille :) Bon, qu'est-ce que j'étais en train de te dire déjà ?

LA TRÈS JEUNE FILLE. Que je fais vieille ! Qu'il faudrait faire quelque chose !

LA BELLE-MÈRE. Ah oui !

On entend des hurlements provenant de la salle de bains. La belle-mère regarde la très jeune fille d'un autre œil. La très jeune fille se gratte la tête. La belle-mère a un brusque mouvement de recul.

scène 12

La famille est réunie. Le père est en train de fermer le corset orthopédique qui enveloppe sa fille de la taille au menton.

LA BELLE-MÈRE *(à la très jeune fille)*. C'est pour ton bien, c'est ça que tu dois te dire !

LE PÈRE *(à sa fille)*. Ça te serre pas un peu ?

LA TRÈS JEUNE FILLE *(docile)*. Si ça me serre !

LE PÈRE. Tu veux que je desserre ?

LA TRÈS JEUNE FILLE. Non.

LA BELLE-MÈRE. Elle a raison, le médecin a dit "serré" ! C'est pour que ça la tienne.

LE PÈRE. "Serré" mais pas "trop serré".

SŒUR LA GRANDE. Qu'est-ce qui fait chier celui-là ?! Si ça lui convient à elle !

LE PÈRE *(à sa fille)*. Ça te convient à toi comme c'est serré ?

LA TRÈS JEUNE FILLE. Oui, ça me convient !

LA BELLE-MÈRE ET LES DEUX SŒURS *(au père)*. Ben alors !

SŒUR LA GRANDE. Qu'est-ce qu'i' fait chier !?

LE PÈRE. C'était juste pour m'assurer que ça allait !

SŒUR LA PETITE *(imitant le père)*. "C'était juste pour m'assurer que ça allait."

LA TRÈS JEUNE FILLE. Est-ce que je peux y aller ? Je dois finir les sanitaires, il m'en reste un.

LE PÈRE. Ben oui, tu peux y aller.

LA BELLE-MÈRE. Vas-y.

LA TRÈS JEUNE FILLE. Merci.

Elle sort. Le corset a l'air de la gêner pour marcher. Les deux sœurs se moquent d'elle.

LA BELLE-MÈRE *(au père).* Faut te dire que c'est pour son bien ! Elle peut pas se rendre compte pour le moment ! Elle nous dira merci ensuite.

La très jeune fille revient, en blouse de travail.

LA TRÈS JEUNE FILLE. On dirait qu'il y a un souci avec un sanitaire du rez-de-chaussée, c'est comme s'il était bouché.

LE PÈRE. Bon ben tu laisses, on va appeler quelqu'un.

LA TRÈS JEUNE FILLE. Je peux essayer de voir ce qu'y a, j'ai des outils.

LE PÈRE *(agacé).* Non tu laisses ! Tu laisses ça à un professionnel !

La très jeune fille ressort.

LA BELLE-MÈRE *(au père).* Ta fille, si tu la laisses te commander, c'est elle qui va te donner des ordres ! On dirait pas comme ça, mais elle sait ce qu'elle veut cette gamine !

On entend des coups sur la tuyauterie puis une explosion. La très jeune fille revient dégoulinante de l'eau sale des toilettes bouchées. La belle-mère et ses filles poussent des cris de dégoût et s'enfuient.

scène 13

Quelque temps plus tard. Dans la chambre de la très jeune fille. La nuit. La très jeune fille ne dort pas. Elle est assise sur son lit.

LA VOIX DE LA NARRATRICE. La très jeune fille était tellement fatiguée qu'elle en oubliait de manger et qu'elle maigrissait, mais jamais elle ne se plaignait. Certains travaux étaient simples mais d'autres la répugnaient et l'écœuraient énormément. Jusqu'où ça irait comme ça ?

Située à côté du lit de la très jeune fille, l'armoire se met à trembler, à basculer, et finalement se renverse. Une femme à l'allure plutôt négligée (la fée) en sort, avec difficulté.

LA TRÈS JEUNE FILLE. Oh c'est quoi qui se passe là ?! Y a un problème ou quoi ?

LA FÉE. Merde de merde… J'ai failli me faire mal en plus.

LA TRÈS JEUNE FILLE. Vous foutez quoi là-dedans ?

LA FÉE. J'ai mal évalué mon coup… et je me suis endormie, j'ai l'impression ! Merde !

LA TRÈS JEUNE FILLE. Endormie dans mon armoire ? On se connaît en plus ou on se connaît pas ?

LA FÉE. Non, c'est la première fois je crois qu'on se voit.

LA TRÈS JEUNE FILLE. Alors vous déboulez comme ça dans ma chambre ?

LA FÉE (*l'air très surpris*). C'est ta chambre?

LA TRÈS JEUNE FILLE. Bon… mais moi j'ai pas le temps de parler avec vous, excusez-moi!

La fée sort une cigarette et l'allume.

LA TRÈS JEUNE FILLE. Oh oh oh oh ça va la vie pour vous comme ça?!

LA FÉE. Ça te dérange si je fume? On ouvrira une fenêtre!

LA TRÈS JEUNE FILLE. Y a pas de fenêtre.

LA FÉE. Ah bon? Y a pas de fenêtre?

LA TRÈS JEUNE FILLE. Oui, c'est provisoire mais c'est comme ça. Moi ça me va en fait! C'est moche, ça me correspond!
(La fée souffle la fumée de sa cigarette avec volupté.)
Vous êtes pas trop gênée vous en fait?

LA FÉE (*montrant sa cigarette*). J'arrive pas à arrê-ter ce truc c'est terrible, j'ai tout essayé, ça n'a pas marché!

LA TRÈS JEUNE FILLE. Bon, je vous connais pas, je vous ai jamais vue, vous fumez dans ma chambre et je suis obligée de vous écouter me raconter votre vie en plus? Mais moi, je peux pas vous écouter, j'ai des choses importantes que je dois faire et j'ai besoin d'être seule, d'avoir ma tranquillité! Alors bon, je vous demande de me laisser maintenant! De partir ou au moins de vous taire! Je sais pas si c'est clair?

LA FÉE. C'est quoi que tu dois faire?

LA TRÈS JEUNE FILLE. J'ai dit que j'avais plus envie de vous écouter ni de vous parler !

(Petit temps.)

Ce qui est important, c'est que je dois penser à ma mère, parce qu'elle me l'a demandé et que c'est important.

(La montre de la très jeune fille se met à sonner.)

Voilà ce que je dois faire.

LA FÉE. Même la nuit elle sonne ta montre ?

LA TRÈS JEUNE FILLE. Oui !

Un temps.

LA FÉE. Pas gaie ta vie !

LA TRÈS JEUNE FILLE. Qu'est-ce que j'ai dit !

LA FÉE. Pardon !

LA TRÈS JEUNE FILLE. Merci.

LA FÉE. C'est vrai, elle est chiante ta vie, tu te marres jamais, y a pas de distractions dans ta vie. Pendant ce temps, les autres, i' se marrent, tu sais ça ?!

LA TRÈS JEUNE FILLE. Je m'en fous des autres, j'ai pas besoin de m'amuser, c'est pour les petits de s'amuser. Moi, j'ai autre chose à faire de plus important et de plus adulte que de me distraire. Et de toute façon, pour se distraire, faut l'avoir mérité et moi, je mérite pas, voilà c'est dit ! Maintenant *ciao*. Fermez votre bouche qui déblatère des grosses âneries à la chaîne et fermez l'armoire en sortant !

(Un temps.)

Si ça se trouve, je suis une vraie salope… Et j'ai oublié de penser à ma mère pendant je sais pas combien de temps, et peut-être qu'à cause de ça, ma mère elle est tombée dans la vraie mort maintenant… Voilà l'histoire, vous êtes contente !

Elle est très émue, au bord des larmes.

LA FÉE. Tu vas pleurer ? Oh non ! Je supporte pas qu'on chiale à côté de moi, surtout les mômes.

LA TRÈS JEUNE FILLE *(vexée, explosant)*. Je chiale pas, qu'est-ce que vous racontez ! Non mais dis donc vous ! Ça commence à bien faire de me faire insulter comme ça, ça va suffire oui, vous êtes qui pour me parler comme ça vous d'abord ?

LA FÉE. Je suis qui ?

LA TRÈS JEUNE FILLE *(très en colère)*. Oui, vous êtes qui vous d'abord ?

LA FÉE. Moi ?

LA TRÈS JEUNE FILLE. Oui, t'es qui toi pour te foutre de ma gueule continûment ? Ça va bien cinq minutes ! Alors ?

LA FÉE. Alors ?

LA TRÈS JEUNE FILLE. T'es qui ?

LA FÉE. Je suis qui ?

LA TRÈS JEUNE FILLE. Oui t'es qui ? Dépêche-toi.

LA FÉE. La fée.

LA TRÈS JEUNE FILLE. La fée de qui ?

LA FÉE. Quoi la fée de qui? La fée de toi! Ta fée quoi!

LA TRÈS JEUNE FILLE. Ma fée quoi? J'ai une fée moi?

LA FÉE. Ben oui, ça arrive!

LA TRÈS JEUNE FILLE. Et c'est comme ça, une fée?

LA FÉE. Hé ho dis donc, tu me connais pas encore!

LA TRÈS JEUNE FILLE. J'ai jamais demandé à avoir une fée moi.

LA FÉE. Ça se demande pas! C'est comme ça, c'est tout!

LA TRÈS JEUNE FILLE. Qui me dit d'abord que vous êtes vraiment une fée?

LA FÉE. Je sais pas moi.

LA TRÈS JEUNE FILLE. Vous êtes magicienne?

LA FÉE *(sortant un jeu de cartes de sa poche)*. Absolument, je connais des tours de magie… et que je fais moi-même, sans me servir de mes pouvoirs. Je te montre… Tire une carte au hasard.
(La très jeune fille tire une carte. La fée se concentre.)
C'est le sept de cœur?

LA TRÈS JEUNE FILLE. Presque!

LA FÉE. Huit!
(La très jeune fille fait un signe avec la main du genre "à peu près mais pas tout à fait ça".)

Neuf !
(La très jeune fille fait un signe avec la main du genre "plus bas".)
Six !
(La très jeune fille refait le même signe.)
Cinq !
(La très jeune fille refait le même signe.)
Quatre, quatre de pique.
(La très jeune fille fait signe "oui mais non" et elle fait un geste pour signifier la couleur de la carte.)
Pique ! Quatre de pique ! J'ai trouvé, voilà j'ai trouvé.
(La très jeune fille rend la carte.)
Ah merde, quatre de carreau.

LA TRÈS JEUNE FILLE. Ben oui, j'ai pas fait signe de pique, j'ai fait signe de carreau… C'est pas terrible ! Bon ben, je dois me reconcentrer moi.

La très jeune fille s'assoit sur le lit.

LA FÉE. Ouais je sais, c'est pas terrible. Je dois m'entraîner. J'ai décidé de plus me servir de mes pouvoirs de fée pour faire des tours de magie mais de les faire en apprenant les trucs dans les livres, comme les vrais magiciens… qui font des trucs faux.

LA TRÈS JEUNE FILLE. A quoi ça sert de faire ça ?

LA FÉE. C'est plus marrant, ça peut rater, du coup, quand je réussis, je suis folle de joie, je saute partout, je suis comme une folle.

La fée va pour s'asseoir sur le lit, à côté de la très jeune fille. Mais le lit cède sous son poids. La fée s'enfonce dans un énorme craquement du sommier.

LA TRÈS JEUNE FILLE. Oh mais ça va à la fin, déjà mon lit était pas terrible !

LA FÉE *(en essayant de se dégager)*. Je suis désolée vraiment, je vais te le réparer.

LA TRÈS JEUNE FILLE *(aidant la fée à se relever)*. Non non, laissez !
(La fée réussit à se relever. Elle a un fou rire, elle s'emmêle un peu avec ses cartes.)
Merci de la visite vraiment.

LA FÉE. Attends, je vais te le refaire ce tour tu vas voir… Tu vas tirer une autre carte…

Comme la fée semble perdue avec ses cartes, la très jeune fille lui vient en aide.

LA TRÈS JEUNE FILLE. Mais non, il faut en retourner une comme ça.

LA FÉE. Oui c'est ça, c'est ça… Allez vas-y.

LA TRÈS JEUNE FILLE *(lui montrant toujours)*. Et prendre tout le paquet comme ça… Et après tu fais semblant que c'est celui-là !

LA FÉE. Ah d'accord, bon vas-y, tires-en une au hasard…

LA TRÈS JEUNE FILLE *(intervenant)*. Mais non pas celui-là.

LA FÉE. Ah oui merde.

LA TRÈS JEUNE FILLE. Bon, j'en prends une.
(Elle prend une carte.)
C'est une forte ça.

LA FÉE. Ah? Une dame?!
(La très jeune fille fait un geste pour signifier "plus grand".)
Roi?
(La très jeune fille refait un signe "plus grand".)
As? As de cœur?!

LA TRÈS JEUNE FILLE *(criant).* Oui!

LA FÉE *(exultant).* Oui je le savais! Bon, c'est pas mal quand même… Je bosse… Je lis tous les bouquins que je peux trouver.

LA TRÈS JEUNE FILLE. Mouais.

LA FÉE. Qu'est-ce que ça veut dire ça, "mouais"?

LA TRÈS JEUNE FILLE. Pour une fée, je suis pas sûre que ça soit tout à fait normal quand même de foirer à la chaîne des tours comme ça.

LA FÉE. Tu me fatigues! T'es fatigante! Je suis fatiguée en fait!

La fée s'allonge sur le lit de la très jeune fille.

LA TRÈS JEUNE FILLE. Il vous en faut pas beaucoup.

LA FÉE. Tu verrais toi si t'avais mon âge! Si tu serais pas fatiguée.

LA TRÈS JEUNE FILLE. Quel âge vous avez?

LA FÉE. Quel âge tu me donnes ?

LA TRÈS JEUNE FILLE. Trente-sept.

LA FÉE. Non !

LA TRÈS JEUNE FILLE. Quel âge alors ?

LA FÉE. Huit cent septante-quatre le mois prochain, à un ou deux ans près, je crois que c'est ça !

LA TRÈS JEUNE FILLE. Huit cent septante-quatre ?

LA FÉE. Ouais, les deux cents premières années ont été géniales, après j'ai commencé doucement à m'emmerder. Et depuis à peu près trois cents ans, je me fais vraiment chier. Y a plus de surprises dans ma vie, j'ai tout fait. Le temps passe à la vitesse d'un escargot. J'arrive plus à me motiver en fait. Je me sens déprimée. J'ai été mariée à peu près quatre-vingt-dix fois. J'ai eu des wagons de gosses, je les ai même pas comptés, trop… Mais bon, l'amour c'est génial les quinze premières fois, après c'est totalement répétitif en fait.

LA TRÈS JEUNE FILLE. Vous êtes immortelle ou quoi ?

LA FÉE. Ouais, c'est ça être fée, ça va avec le statut de fée, on est immortelles.

LA TRÈS JEUNE FILLE. Vous mourrez pas ?

LA FÉE. Non. Mais comme je te dis, c'est bien au début, mais au bout d'un moment, c'est fatigant, parce que c'est toujours la même chose.

LA TRÈS JEUNE FILLE. Vous êtes blasée en fait ?

LA FÉE. Je t'envie toi, parce que tu vas vivre un tas de trucs pour la première fois, tu vas voir c'est génial !

LA TRÈS JEUNE FILLE. Comme quoi par exemple ?

LA FÉE. Les mecs, l'amour.

LA TRÈS JEUNE FILLE. N'importe quoi !
(La montre se met à sonner.)
Mais qu'est-ce que je suis en train faire là moi avec vous ! Je suis complètement dingue ! Bon allez partez maintenant, je vous ai déjà dit : je suis en train de laisser passer le temps moi ! Je suis en train de faire n'importe quoi ! Barrez-vous je vous dis et vite !

LA FÉE. Ola, doucement quand même ! On est pas des animaux !

LA TRÈS JEUNE FILLE. Allez, on se lève, c'est fini la psychanalyse, on rentre à la maison. Je dois me reconcentrer moi.

LA FÉE. Je sors par où ?

LA TRÈS JEUNE FILLE. Par où vous voulez !

LA FÉE. Salut, à bientôt.

LA TRÈS JEUNE FILLE. Je vous parle plus, je vous entends plus.

La fée sort.

DEUXIÈME PARTIE

scène 1

*Plus tard, l'hiver. Une grande pièce de la maison.
On voit à l'extérieur la très jeune fille en train de
laver les vitres.*

LA VOIX DE LA NARRATRICE. Le temps passait.
L'hiver était arrivé et rien n'évoluait dans cette
maison.
Si… un jour la femme de ménage était tombée
malade et finalement on n'avait pas jugé utile de
la remplacer.
(Le père entre, une lettre à la main.)
Un matin comme tous les matins, le père de la très
jeune fille était allé chercher le courrier dans la
boîte aux lettres du jardin. Il revint avec une enveloppe très différente de d'habitude… que personne
n'osa ouvrir.
*(Le père ouvre le courrier et commence à le lire.
Il est rejoint par les deux sœurs puis par la belle-
mère.)*
Ce courrier annonçait que la famille avait été tirée
au sort parmi des centaines de milliers d'autres. Elle

était invitée à participer à une soirée chez le roi en l'honneur du prince dont c'était l'anniversaire. Le très jeune homme vivait depuis sa naissance à l'écart du monde. Mais aujourd'hui le roi avait décidé que cette mise à l'écart devait cesser. Il organisait une grande soirée festive.

(La belle-mère s'évanouit.)

La nouvelle foudroya la future femme du père de la très jeune fille. Elle mit du temps à se remettre de cette émotion.

Le père et les deux sœurs s'activent auprès de la belle-mère évanouie.

La très jeune fille assiste à la scène de derrière la paroi vitrée.

LA BELLE-MÈRE *(revenant à elle)*. C'est pas l'effet du hasard tout ça… Ça peut pas être totalement l'effet du hasard tout ça… Pas l'effet du hasard… Pas du tout…

LE PÈRE *(à la belle-mère)*. Ils disent qu'on a été tirés au sort.

LA BELLE-MÈRE *(au père)*. J'y crois pas moi… au hasard, j'y crois pas je te dis…

LA VOIX DE LA NARRATRICE. La future femme du père de la très jeune fille raconta qu'un jour, alors qu'elle passait à pied devant le palais du roi, elle avait ressenti des regards se poser sur elle. Selon elle ces regards venaient du château. Elle disait que cette invitation avait certainement un rapport avec ce qu'elle avait ressenti ce jour-là.

scène 2

Face à un miroir, la belle-mère et ses deux filles sont en train d'essayer des robes de soirée.

SŒUR LA GRANDE. J'ai le trac… Quand je pense à cette soirée maintenant, j'ai peur.

SŒUR LA PETITE. Moi aussi.

LA BELLE-MÈRE. Faut juste pas être assez bête pour passer à côté de ce moment.

SŒUR LA GRANDE. Et ça me fout le trac cette discussion.

SŒUR LA PETITE. Moi ça me fait l'effet d'un rêve… J'y crois pas encore vraiment.

LA BELLE-MÈRE *(explosant)*. Mais arrêtez avec cette histoire de rêve !

SŒUR LA PETITE. Mais quoi ?

LA BELLE-MÈRE. "Ça me fait l'effet d'un rêve" ! Qu'est-ce que vous êtes idiotes !

SŒUR LA PETITE. Mais c'est un peu comme un rêve puisqu'on aurait jamais pu imaginer que ça nous arriverait.

LA BELLE-MÈRE. La prochaine qui prononce le mot "rêve", je l'étrangle ! Je me demande des fois de qui vous tenez cette idiotie chronique ! Si on vit dans son rêve on dort, on agit pas. Et moi, je veux agir… pas dormir, vous comprenez ça ? Parce qu'on la mérite cette réalité qui nous attend. Vous avez compris ? Répétez après moi : "C'est la réalité, ce qui nous arrive, c'est pas un rêve."

LES DEUX SŒURS. "C'est la réalité, ce qui nous arrive, c'est pas un rêve."

LA BELLE-MÈRE. Voilà, crétines ! Pour un soir, on va côtoyer des rois et des princes et tous les personnages importants de ce pays. On va devenir l'égal de ces personnes pour un soir, on va les côtoyer et on va peut-être les rencontrer intimement. Pourquoi pas imaginer devenir leurs amis… Le roi par exemple… c'est un homme simple, il paraît. Je vais vous confier un secret : je sens depuis que je suis toute petite que je ne suis pas considérée à ma juste valeur. Je me suis mariée, j'ai eu des enfants…

LES DEUX SŒURS. Ben oui, nous.

LA BELLE-MÈRE. J'ai sacrifié ma vie à mon mariage et à mes enfants et je n'ai pas vécu. Mais je sens que je vais être reconnue à ma juste valeur un jour, je le sens au fond de moi.

LE PÈRE *(entrant, avec de nouvelles robes dans les mains).* Je ne sais pas si vous avez cette impression vous aussi, mais moi je trouve que c'est vraiment comme un rêve tout ça.

LA BELLE-MÈRE. Mais c'est pas possible ! Je suis entourée d'imbéciles vraiment ! Moi je sens qu'il va se passer quelque chose de vrai… si on met toutes les chances de notre côté.

SŒUR LA GRANDE. En tout cas, je sais pas comment on doit s'habiller.

LE PÈRE. Ben oui, comment on doit s'habiller pour aller chez un roi, vous savez vous ?

SŒUR LA PETITE. Et chez un prince aussi.

Les deux sœurs s'esclaffent.

SŒUR LA GRANDE. Tu sais maman, personne l'a jamais vu ce type.

LA BELLE-MÈRE *(agacée)*. Ben oui je sais.

SŒUR LA PETITE. Ça se trouve, il est moche.

SŒUR LA GRANDE. Pourquoi il serait moche ? Je suis sûr qu'il est beau !

LE PÈRE. Ça y est, elle rêve au prince !

LA BELLE-MÈRE. Moi j'en peux plus de vous entendre déblatérer des âneries !
(Au père.) Et surtout toi !
(La très jeune fille entre. Elle porte un mannequin de prêt-à-porter, comme on en voit dans les vitrines de magasins. Habillé en costume chic. La belle-mère indique le mannequin.)
Qu'est-ce que c'est que ça ?

LA TRÈS JEUNE FILLE. Elles m'ont dit de ramener ce truc.

SŒUR LA GRANDE *(désignant le père)*. C'est des vêtements pour lui, faut bien qu'il s'habille lui aussi non ? Il va pas nous faire honte quand même.

SŒUR LA PETITE *(à la belle-mère)*. T'es sûre qu'il est obligé de venir?

LE PÈRE. C'est sympa merci.

SŒUR LA GRANDE *(à la très jeune fille)*. Et toi, tu vas venir ou pas?
(A la belle-mère.) Elle va venir elle aussi, maman?

LA TRÈS JEUNE FILLE. Non.

La très jeune fille sort.

LA BELLE-MÈRE. Elle a jamais envie de rien de toute façon. Y a que faire le ménage qui l'intéresse on dirait, au moins c'est clair.

SŒUR LA GRANDE. En tout cas, moi je me ferais couper un pied pour pouvoir voir le prince avant tous les autres. Vous vous rendez pas compte, c'est grandiose.

Les deux sœurs s'approchent du mannequin, se collent à lui, mimant un flirt très poussé.

SŒUR LA PETITE. C'est excitant.

SŒUR LA GRANDE. A mort.

LA BELLE-MÈRE *(concentrée sur l'essayage d'une nouvelle robe)*. Taisez-vous un peu.

SŒUR LA PETITE. Il a notre âge, il paraît.

SŒUR LA GRANDE. Je meurs si j'y pense trop.

LA BELLE-MÈRE *(remarquant l'attitude de ses filles)*. Mais arrêtez avec ce mannequin, mais qu'est-ce que vous faites, ça va pas?! Ça va pas la tête, mes pauvres filles… Faut se concentrer sur ce qu'on va mettre. La première impression qu'on va produire, tout est là. Faut pas rater ça !

LE PÈRE. Ça non !

SŒUR LA PETITE *(essayant une nouvelle robe)*. Moi j'aime bien celle-là.

LA BELLE-MÈRE. Fais voir.

SŒUR LA PETITE. Comment ça ?

LA BELLE-MÈRE. Passe-moi cette robe, passe-la-moi une seconde.

SŒUR LA PETITE. C'est moi qui l'ai trouvée en premier.

LA BELLE-MÈRE. Gnagnagna, qu'est-ce que tu es enfantine ma pauvre fille ! Passe-moi cette robe ! Elle te va pas de toute façon on dirait.

La belle-mère arrache la robe des mains de sa fille. Elle l'essaie.

LE PÈRE. Elle te va très bien. Ça te rajeunit encore…

LA BELLE-MÈRE. C'est dur de ne pas faire son âge. On sait pas comment s'habiller.
(A propos de la robe.) Elle est bien… Et en même temps… c'est pas assez quelque chose… que j'arrive pas à définir…
(Pendant ce temps, les deux sœurs sont revenues près du mannequin. Elles déboutonnent son pantalon. Le mannequin se retrouve jambes nues, pantalon sur les chevilles. La belle-mère est scandalisée.)

Mais arrêtez avec ce mannequin, c'est pas vrai vous êtes obsédées, c'est pas vrai !

(Les sœurs s'enfuient en riant. La belle-mère regarde encore sa robe dans le miroir.)

C'est ça mais pas assez… Pas assez comment dire…

Elle cherche le mot.

LE PÈRE *(complétant)*. Dans le style…

LA BELLE-MÈRE. Dans le style de quoi ?

LE PÈRE. Dans le style, époque de… je sais pas…

LA BELLE-MÈRE. Mouais ! Hé ben, si tu sais pas, tu te tais !

LE PÈRE. Y a celle-là aussi.

Le père lui passe une autre robe style Louis XIV.

LA BELLE-MÈRE. Mouais.

LE PÈRE. Attends, je vais t'en chercher une autre encore plus dans le… je crois.

Il sort. La belle-mère se contemple dans le miroir. Très satisfaite, elle mime des révérences et se rapproche du mannequin. Elle se jette sur lui, l'enlace telle une amoureuse transie. Le père revient avec une autre robe. La belle-mère, très gênée, adopte un air détaché et s'éloigne.

scène 3

Un couloir de la maison. Très sombre.

LA VOIX DE LA NARRATRICE. La future femme du père de la très jeune fille et ses deux filles avaient décidé de s'habiller exactement comme elles imaginaient que tous ces rois et ces princes le seraient ce soir-là.

(La belle-mère entre, en compagnie de deux hommes étranges.)

Grâce au talent de grands couturiers, on peut embellir son apparence. Mais grâce à d'autres grands artistes on peut modifier son corps lui-même. Ces pratiques étaient très répandues mais s'exerçaient dans la plus grande discrétion.

(Les trois personnages traversent le couloir et sortent.)

La future femme du père de la très jeune fille recevait ces personnages un peu énigmatiques, qui venaient l'ausculter et lui prescrire des traitements aux effets foudroyants.

(Les sœurs entrent à leur tour et se dirigent à grande vitesse en direction de la porte derrière laquelle ont disparu leur mère et les deux hommes. Elles sortent à leur tour.)

Un jour, ses filles l'avaient surprise et elles avaient exigé de pouvoir obtenir les mêmes avantages qu'elle. La mère avait fini par accepter.

Cette année-là, il y avait un mouvement de mode qui était très répandu, surtout chez les jeunes gens. Les petites oreilles étaient devenues objets de dérision. Personne ne voulait plus en avoir. Afin de se sentir à leur avantage lors de cette soirée, elles obtinrent de leur mère une petite opération de transformation. Elles furent absolument ravies du résultat.

scène 4

Départ à la soirée du roi. La très jeune fille est allongée sur son lit, dans sa chambre.

LA VOIX DE LA NARRATRICE. Et puis, le grand jour tant attendu arriva.

LE PÈRE *(en costume et perruque Louis XIV, allumant une cigarette).* Bon, on y va nous… Moi, ça m'embête un peu de te laisser là…
(Il s'apprête à sortir et fait allusion à sa cigarette.)
C'est la dernière pour aujourd'hui, promis ! De toute façon, j'ai pas le choix, quand je suis avec elle je peux pas fumer… C'est peut-être mieux que tu viennes pas, tu sais… C'est pas sûr que ce soit tellement marrant pour les enfants cette soirée. Bon, ben moi j'y vais…

LA TRÈS JEUNE FILLE. Bon, ben salut.

LE PÈRE *(ayant mauvaise conscience de laisser sa fille).* Bon ben salut… Tu sais en ce moment, c'est pas gai la vie pour moi. Elle, là-haut, elle est pénible, depuis quelque temps, j'ai carrément l'impression que je suis devenu invisible…
(On entend la belle-mère : "Et alors quoi, qu'est-ce que tu fais, tu viens ? On t'attend !")
Bon là, elle s'est aperçue que je n'étais pas là, j'y vais.

Il tend précipitamment la cigarette à sa fille et s'en va. La fée sort de derrière l'armoire.

LA FÉE. T'y vas pas toi ?

LA TRÈS JEUNE FILLE (*écrasant la cigarette de son père dans un petit cendrier*). Non !

LA FÉE. C'est toi qui as pas voulu y aller ou c'est eux ?

LA TRÈS JEUNE FILLE. C'est moi, j'ai pas la tête à ça, pas du tout.

LA FÉE. Ah bon ? Et tu gardes la maison ?

LA TRÈS JEUNE FILLE. Ben ouais.

LA FÉE. Y z'ont pas un chien ?

LA TRÈS JEUNE FILLE. Je vais pas pouvoir continuer à vous parler comme l'autre fois.

LA FÉE. En tout cas, moi j'adorerais pouvoir aller pour la première fois dans une soirée pareille, ressentir tout ce qu'on ressent dans ces moments-là : les émotions, le trac, l'excitation. C'est sûr, moi à ta place, j'irais. Moi, je peux plus ressentir ça, j'ai trop vécu déjà.

LA TRÈS JEUNE FILLE. Ben moi, je suis pas comme vous, j'ai pas envie.

LA FÉE. Je te crois pas que t'as pas envie de t'amuser de temps en temps.

LA TRÈS JEUNE FILLE. Hé ben si, c'est comme ça madame "je sais mieux à la place des autres ce qu'ils pensent" ! Vous pouvez me laisser un peu maintenant ?

LA FÉE. Tu dois penser à ta mère ?

La montre de la très jeune fille se met à sonner.

LA TRÈS JEUNE FILLE. Exactement.

LA FÉE. Une soirée comme celle-là, c'est sûr c'est un peu tarte mais c'est drôle des fois de faire des choses un peu tartes. T'en as déjà vu des rois et des princes toi ?

LA TRÈS JEUNE FILLE. J'ai rien à me mettre de toute façon.

LA FÉE *(se réjouissant d'un coup)*. T'occupe, je m'en occupe.

LA TRÈS JEUNE FILLE. Avec vos pouvoirs magiques ? Je les connais de l'autre fois, c'était pas terrible. En fait, je me demande si vous êtes pas en train de me baratiner depuis le début avec cette histoire de fée.

LA FÉE. Alors là, j'en ai marre.

La fée disparait. Soudain la lumière s'éteint.

LA TRÈS JEUNE FILLE. Où est-ce qu'elle est passée ? *(Une tempête éclate. Tonerre, fracas. Cris au loin. La très jeune fille hurle de frayeur. Puis tout se calme. La fée est revenue, elle allume une cigarette.)* C'est vous qui avez fait ça ?! Faut prévenir avant la prochaine fois ! Ça fait peur !

LA FÉE. T'avais des doutes !

LA TRÈS JEUNE FILLE. Vous voulez pas rallumer la lumière maintenant ?

LA FÉE. Bon, on y va, on va faire un tour à cette soirée ?

LA TRÈS JEUNE FILLE. D'accord, mais vous rallumez !

LA FÉE. Super ! Je m'occupe de ta robe, ça va être marrant ça !
(La lumière revient. Une énorme boîte occupe une partie de la chambre.)
Ouais, génial !

LA TRÈS JEUNE FILLE. C'est quoi ça ? Et ma chambre, vous l'avez mise où ?

LA FÉE. On s'en fout de ta chambre ! Alors voilà, tu vas entrer là-dedans.

LA TRÈS JEUNE FILLE. Qu'est-ce que c'est que ça ?

LA FÉE. C'est une boîte magique. On peut créer tout ce qu'on veut avec. Ce sera plus rapide que de coudre une robe.

LA TRÈS JEUNE FILLE. Et qu'est-ce qui va se passer là-dedans ? Vous allez me faire quoi ? De la magie magique ou bien de la magie amateur ?

LA FÉE. T'inquiète pas. Je bosse, je progresse, je lis des bouquins, je suis au point. Bon, arrête de parler, entre là-dedans.

LA TRÈS JEUNE FILLE. Vous avez intérêt à ce qu'il y ait rien qui m'arrive.

La très jeune fille entre dans la boîte magique.

LA FÉE. Hé ho !

LA TRÈS JEUNE FILLE *(de l'intérieur de la boîte).*
Hé, il fait super noir ici !

LA FÉE. Normal, bon, tu te décontractes, ça va bien
se passer, je me concentre, t'arrêtes de parler. C'est
un tour de magie qui a été inventé dans les années
cinquante, il est bien rodé. Bon je compte dans ma
tête.

LA TRÈS JEUNE FILLE *(de l'intérieur de la boîte).*
Mais vous ne m'avez pas demandé comment je
voulais être habillée !

LA FÉE. T'occupe, j'ai une idée géniale de robe de
soirée en tête ! Bon, faut que tu te taises !
*(Elle fait de grands gestes de magicien. Puis on
entend un énorme "bang" provenant de l'intérieur
de la boîte. De la fumée s'en échappe. La très jeune
fille se met à crier.)*
Ho ça va ?

Le calme revient.

LA TRÈS JEUNE FILLE *(de l'intérieur de la boîte).*
Qu'est-ce qui s'est passé ?

LA FÉE. Rien, c'est bon, ça a marché ! Sors si tu veux,
qu'on voie le travail !
*(La très jeune fille sort de la boîte en toussant. Elle
est habillée en majorette.)*
Merde, raté.

LA TRÈS JEUNE FILLE. Y a pas une glace que je
puisse me voir.

LA FÉE. Non, c'est pas la peine, c'est raté, c'était le premier essai. Retourne dans la boîte, je me reconcentre !

LA TRÈS JEUNE FILLE *(entrant dans la boîte)*. Y a trop de fumée et ça fout la trouille ! C'est pas du tout pour les enfants votre machin.

LA FÉE. T'es prête ?

LA TRÈS JEUNE FILLE *(de l'intérieur de la boîte)*. Dépêchez-vous !

LA FÉE. Je compte dans ma tête trois secondes et trois dixièmes.

LA TRÈS JEUNE FILLE *(de l'intérieur de la boîte)*. Ça va encore foirer, je le sens !

La fée recommence les mêmes gestes de magicien que tout à l'heure. On entend un énorme "bang". Fumée.

LA FÉE. Ho ça va ?

Un temps.

LA TRÈS JEUNE FILLE *(de l'intérieur de la boîte)*. Je vois plus où c'est la sortie !

LA FÉE. Arrête de blaguer !

LA TRÈS JEUNE FILLE *(de l'intérieur de la boîte)*. Ah là, on dirait que c'est bon.
(La très jeune fille sort de la boîte déguisée en mouton.)
Ça m'a foutu la trouille de pas retrouver la sortie !

LA FÉE *(accablée)*. En plus, c'est pas du tout ça, on recommence.

LA TRÈS JEUNE FILLE. Moi, je retourne pas là-dedans, allez-y vous pour voir, ça fout la trouille ! En plus, si on peut plus sortir…

LA FÉE. Y a aucun problème pour sortir.
(La fée entre dans la boîte.)
C'est tout à fait normal à l'intérieur !

LA TRÈS JEUNE FILLE. Essayez de ressortir maintenant.
(Un temps.)
Alors ? … Alors ?

LA FÉE *(de l'intérieur de la boîte)*. Je retrouve pas comment on sort.

LA TRÈS JEUNE FILLE. Je vous l'avais dit ! Vous voulez pas vous servir de vos vrais pouvoirs ?

LA FÉE *(de l'intérieur de la boîte)*. Jamais ! Bon, faut que je réfléchisse cinq minutes…

Un temps.

LA TRÈS JEUNE FILLE. Ah ! Moi j'ai une idée. Ma mère, elle m'avait donné plein de robes à elle, dedans y en a une qu'elle avait mise pour le mariage de sa tante quand elle avait le même âge que moi. Je sais où elle est, je l'ai planquée quelque part, je peux la mettre.

LA FÉE *(de l'intérieur de la boîte)*. Bon ok ! Ça va être un peu naze mais comme ça, au moins, on perd pas trop de temps.

LA TRÈS JEUNE FILLE. Et comment on fait après pour aller là-bas?

LA FÉE *(de l'intérieur de la boîte)*. Je cherche la solution pour sortir de là et je passe te prendre en voiture dans un quart d'heure, ça te convient?

LA TRÈS JEUNE FILLE. Vous avez une voiture?

LA FÉE *(de l'intérieur de la boîte)*. Euh non, mais je vais en trouver une.

LA TRÈS JEUNE FILLE. Vous allez pas en piquer une?

LA FÉE *(de l'intérieur de la boîte)*. Evidemment non.

LA TRÈS JEUNE FILLE. Ma mère disait que c'est mal de voler.

LA FÉE *(de l'intérieur de la boîte)*. Bon écoute, tu commences à faire… hum, avec ta mère…

LA TRÈS JEUNE FILLE. Oui je sais, j'énerve tout le monde. Bon, j'y vais.

La très jeune fille sort.

scène 5

Au même instant, aux abords du palais du roi. La belle-mère, le père et les deux sœurs marchent en direction de la fête. Ils sont tous habillés en tenues de bal de l'époque Louis XIV. La robe de la belle-mère est particulièrement somptueuse.

LA VOIX DE LA NARRATRICE. Pour se rendre à la soirée du roi, la future femme du père de la très jeune fille, son père et ses deux futures sœurs avaient loué une voiture de luxe avec chauffeur. Et ils avaient souhaité marcher pour faire les derniers cent mètres, afin que tous les curieux qui ne pouvaient pas entrer puissent quand même admirer leur tenue vestimentaire somptueuse. La future femme du père de la très jeune fille était absolument sûre de l'effet qu'ils allaient produire en arrivant. Mais, à vrai dire, elle avait imaginé les rois et les princes davantage comme dans un rêve que comme dans la réalité. Devant la porte du palais, ils ressentirent comme un malaise.

scène 6

Quelques instants plus tard, devant le palais. Les quatre personnages présentent leurs cartons d'invitation à un huissier. Provenant de l'intérieur du palais, on entend une musique très moderne.

SŒUR LA PETITE *(jetant un coup d'œil à l'intérieur)*. C'est horrible.

SŒUR LA GRANDE *(regardant elle aussi)*. Y a un problème, c'est pas du tout comme ça qu'on avait imaginé les choses ! Va voir, c'est horrible !

La belle-mère va regarder à son tour.

SŒUR LA PETITE. Faut rentrer à la maison ! Faut aller se changer, en vitesse !

LA BELLE-MÈRE. Mais qu'est-ce qui se passe ?! C'est pas possible ! Les gens sont devenus fous ou quoi !
(La sœur, la petite, s'enfuit.)
Où est-ce qu'elle va, elle ?

SŒUR LA GRANDE. Elle rentre à la maison. Elle dit qu'on doit vite aller se changer. Y a personne d'habillé comme nous.

LA BELLE-MÈRE. Mais c'est affreux ! Qui a eu l'idée de s'habiller comme ça ?

SŒUR LA GRANDE. C'est toi maman !

LA BELLE-MÈRE. Mais non c'est pas moi ! C'est lui !

Elle montre le père.

SŒUR LA GRANDE. Moi je rentre à la maison aussi, je vais me changer.

LA BELLE-MÈRE. Il est pas question qu'on aille se changer, on a pas le temps ! On y va comme ça et c'est les autres qui seront ridicules, pas nous. Allez-y tous les deux, vous d'abord, je vous suis ensuite !

SŒUR LA GRANDE. Comment ça ?

LA BELLE-MÈRE. Allez-y, entrez là-dedans, c'est un ordre !

SŒUR LA GRANDE. Mais non !

LA BELLE-MÈRE. Arrête de discuter ! Si tu continues, je distribue des photocopies de ton journal intime. Tu sais que je suis capable de le faire. Entrez là-dedans !
(Au père :) Toi aussi ! Et je vous suis.

La sœur la grande et le père finissent par entrer. La belle-mère les suit du regard. On entend des sifflets, des moqueries provenant de l'intérieur de la fête. Au bout d'un moment la sœur la grande ressort.

SŒUR LA GRANDE. Maman, ils l'ont gardé, ils lui demandent de danser des danses comme on dansait à l'époque. Ils se moquent de lui, c'est affreux. Moi je rentre à la maison.
Elle s'en va.
Un temps. La belle-mère semble hésiter entre attendre le père et s'en aller elle aussi. Elle masque son visage avec son ombrelle et commence à partir. Un très jeune homme (le prince) entre, la belle-mère le bouscule, le jeune homme tombe au sol.

LE TRÈS JEUNE PRINCE. Excusez-moi.

LA BELLE-MÈRE. Pardon.

LE TRÈS JEUNE PRINCE. C'est moi qui m'excuse.

LA BELLE-MÈRE. Euh oui non, c'est moi.

LE TRÈS JEUNE PRINCE. Vous m'avez fait peur… On se connaît pas.

LA BELLE-MÈRE. Non, je crois pas.

LE TRÈS JEUNE PRINCE. Mes hommages chez vous.

LA BELLE-MÈRE. Oui, chez vous aussi.

Le très jeune prince continue son chemin en direction du palais. Il y entre. La belle-mère sort. Entre la très jeune fille vêtue de la robe de mariage de sa mère et accompagnée de la fée. Le prince ressort du palais, suivi de son père, le roi. On entend des applaudissements provenant de la fête.

LE ROI. Qu'est-ce que tu fais ?

LE TRÈS JEUNE PRINCE. Tu m'avais pas dit qu'il y aurait autant de monde.

LE ROI. Tu avais dit que tu voulais chanter une chanson à l'occasion de ton anniversaire, c'est toi qui l'avais dit, tu aimes ça, chanter.

La très jeune fille et la fée assistent à la conversation.

LE TRÈS JEUNE PRINCE. Ouais, mais je savais pas qu'il y aurait autant de monde. J'aime pas chanter devant les gens.

LE ROI. Il faut bien finir par les rencontrer les gens. Tu vas devenir adulte bientôt, tu ne peux pas continuer à vivre caché, ce n'est plus possible. Vas-y, je t'en prie, tout le monde t'attend. Ils sont curieux de te connaître, tous ces gens. N'oublie pas que tu deviendras le roi de toutes ces personnes bientôt. Tu ne pourras pas rester caché toute ta vie.

LE TRÈS JEUNE PRINCE. Et puis, c'est l'heure du coup de fil de maman. Elle va appeler ce soir, je le sens. Je voudrais pas être trop loin du téléphone quand elle appellera.

LE ROI. Tu sais, ta mère sera contente de savoir que tu étais présent à ton anniversaire. C'est triste un anniversaire quand la personne concernée n'est pas présente. Et puis, tu n'as qu'à chanter en pensant à ta mère, ça lui fera plaisir.

LE TRÈS JEUNE PRINCE. Ah oui, c'est vrai.

LE ROI. Ben oui ! Tu vois !

LE TRÈS JEUNE PRINCE. Bon alors j'y vais !

LE ROI. Très bien mon fils.

Le roi et le très jeune prince entrent dans le palais. On entend les acclamations de la foule à l'intérieur. La très jeune fille, curieuse, entre à son tour.

scène 7

Quelques instants plus tard, à l'intérieur du palais. Sur une scène, le très jeune prince marche en direction du public, un micro à la main. On entend une voix : "Mesdames et messieurs, celui que vous attendez depuis tellement longtemps, le prince de Wagram et de Normandie, chante pour vous ce soir et en anglais une chanson qu'il dédie à sa famille et plus particulièrement à son père."
Exclamations du public. Hourras.
Le très jeune prince chante une reprise de "Father and Son" de Cat Stevens, de sa voix enfantine. Juste avant la fin de la chanson, la très jeune fille se glisse dans le fond de la scène pour approcher le très jeune prince. Il la remarque. Fin de la chanson. Applaudissements nourris des spectateurs.

scène 8

Quelques instants plus tard, devant les portes du palais. On entend, provenant de l'intérieur, des applaudissements et des cris. Bravos. La très jeune fille, très émue, sort du palais. La fée, qui l'attendait, lui fait signe d'entrer à nouveau : "Déjà ? Tu vas pas t'en aller déjà ?" La très jeune fille rebrousse chemin et se dirige vers l'entrée du palais. Le très jeune prince en sort, courant presque, un peu comme s'il s'échappait. Ils se percutent. Le très jeune prince tombe à la renverse.

LE TRÈS JEUNE PRINCE. Excusez-moi.

LA TRÈS JEUNE FILLE. Pardon.

LE TRÈS JEUNE PRINCE *(se relevant)*. C'est de ma faute, je regardais mes chaussures !

LA TRÈS JEUNE FILLE. J'ai rien senti, vous excusez pas.

LE TRÈS JEUNE PRINCE. Mes hommages chez vous.

LA TRÈS JEUNE FILLE. Vous pareillement.

Ils s'en vont chacun de leur côté. Puis ils s'arrêtent, se retournent et se dirigent l'un vers l'autre. Ils sont gênés.

LE TRÈS JEUNE PRINCE. Vous vouliez me dire quelque chose ?

LA TRÈS JEUNE FILLE. Euh non... je croyais que c'était vous qui vouliez...

LE TRÈS JEUNE PRINCE. Euh non ! Bon ben, c'est bien… Ben, au revoir alors…
Il fait beau, vous trouvez pas ? C'est dommage qu'il n'y ait pas de soleil…

LA TRÈS JEUNE FILLE. Oui c'est vrai… Mais faut dire que la nuit c'est rare qu'il y ait du soleil en cette saison.

LE TRÈS JEUNE PRINCE. Oui c'est vrai ! Absolument. Bon ben, je vais rentrer…

LA TRÈS JEUNE FILLE. En tout cas, vous avez… de belles chaussures…

LE TRÈS JEUNE PRINCE. Ah oui… surtout celle-là, non ?

LA TRÈS JEUNE FILLE. Ah oui c'est vrai, vous avez raison, c'est la mieux des deux.
(La montre de la très jeune fille se met à sonner.)
Mince je suis en train d'oublier l'heure moi, je dois rentrer… Et j'ai plein de trucs à penser. Faut pas que j'oublie…

LE TRÈS JEUNE PRINCE. Moi aussi je dois y aller. J'attends un coup de fil de ma mère, elle doit me téléphoner ce soir.

LA TRÈS JEUNE FILLE. Ah bon.

LE TRÈS JEUNE PRINCE. Ben oui.

LA TRÈS JEUNE FILLE. Bon ben salut.

LE TRÈS JEUNE PRINCE. Salut.

La très jeune fille s'en va. Le très jeune prince la regarde partir.

scène 9

Dans la maison en verre de la belle-mère de la très jeune fille. La belle-mère est assise, effondrée. Sa fille, la grande, fait les cent pas autour d'elle.

LA VOIX DE LA NARRATRICE. Le lendemain, dans la grande maison en verre de la future femme du père de la très jeune fille, c'était la crise.

LA BELLE-MÈRE *(tragique)*. Moi, il me semble qu'en partant quelqu'un m'a bousculée ou bien pire j'ai bousculé quelqu'un… Un enfant, un jeune homme avec un air ahuri. J'espère que ce n'était pas quelqu'un d'important… Je préfère pas y penser. Manquerait plus que ça… Que ce soit quelqu'un d'important…

SŒUR LA GRANDE. Tu n'es quand même pas "rentrée" dans le prince ?

Un temps.

LA BELLE-MÈRE *(explosant, menaçante)*. Qu'est-ce que tu viens de dire idiote ! Ne me parle plus jamais comme tu viens de le faire, tu entends ?! Je t'interdis de me parler comme ça ! Jamais tu me reparles comme ça de toute ta vie, tu entends ?

SŒUR LA GRANDE. Mais c'est toi qui viens de me dire que…

LA BELLE-MÈRE. Fais bien attention à toi ! Vraiment ! Je pourrais devenir méchante, je pourrais te faire très mal ! Je pourrais tous vous écraser même ! Je pourrais vous anéantir ! Tu comprends ça ? C'est à cause de vous que tout est fichu, que tout est foutu, que tout est cassé ! Nous avions un espoir dans la vie, un petit espoir de vie nouvelle, de vie différente. Et vous l'avez gâché ! Vous l'avez gâché, vous l'avez cassé. Et maintenant, tout est cassé, tout est foutu !

SŒUR LA PETITE *(entrant)*. Maman.

LA BELLE-MÈRE. Quoi, espèce de triste nouille ?

SŒUR LA PETITE. Maman, y a quelqu'un qui est là, à la porte…

LA BELLE-MÈRE. Qu'est-ce qu'on s'en fout de qui est là, à la porte ?!

SŒUR LA PETITE. Ben, c'est quelqu'un qui…

LA BELLE-MÈRE. T'as que ça à foutre de ta vie toi, de traîner près de la porte ? En attendant que quelqu'un vienne nous emmerder ?

SŒUR LA PETITE. Maman, il prétend que…

LA BELLE-MÈRE. Et tu vois pas qu'on s'en fout de ce qu'il prétend ?

SŒUR LA PETITE. Il dit qu'il est le roi et qu'il voudrait te parler… En plus, il lui ressemble comme sur les photos.

Un temps.
Stupéfaction sur les visages de la belle-mère et de la sœur la grande.

LA BELLE-MÈRE. Mais qu'est-ce qui se passe ? Qu'est-ce qui nous arrive ? Qu'est-ce qu'on a fait ? Ça va donc jamais s'arrêter ? Mon dieu, est-ce le cauchemar qui continue ? Ou bien au contraire une éclaircie inattendue ?

SŒUR LA PETITE. Qu'est-ce que je fais concrètement maman ?

LA BELLE-MÈRE. Je sais pas, je sais plus, je suis perdue.

Le roi entre, entouré de deux gardes.

LE ROI. Pardonnez-moi mesdames, je me permets de forcer la porte de votre magnifique et originale demeure, et de pénétrer en toute simplicité chez vous, je suis assez pressé, je ne veux surtout pas vous déranger très longtemps.

LA BELLE-MÈRE. Majesté.

LE ROI. Appelez-moi Jean-Philippe.

LA BELLE-MÈRE. Je vous en prie Monseigneur, vous êtes ici chez vous.

LE ROI. Restez assise… Pardonnez ma visite inopinée mais je crois d'après mes renseignements que vous faisiez partie de la liste des invités de la soirée que j'ai donnée hier en l'honneur de mon fils.

LA BELLE-MÈRE. Absolument. On en parlait justement, c'était une fantastique soirée.

LE ROI. D'autant plus fantastique qu'il s'est passé pour moi un événement assez considérable : mon fils a rencontré une personne inconnue et a manifesté de l'intérêt pour elle…

LA BELLE-MÈRE ET LES DEUX SŒURS. Ah bon ?

LE ROI. Oui, et ce n'est pas banal, croyez-moi. C'est la première fois que mon fils manifeste de l'intérêt pour une personne, pardonnez ce détail intime, autre que sa mère.

LA BELLE-MÈRE ET LES DEUX SŒURS. Ah bon ?

LE ROI. Cet événement est tout sauf banal. Mon fils a une histoire particulière un peu triste. Je voudrais absolument retrouver cette personne inconnue et donner une chance à mon fils de la croiser à nouveau. Je vais donc organiser une deuxième soirée d'ici deux semaines et tout faire pour que cette personne puisse être présente.
(La très jeune fille entre, un aspirateur à la main.)
Si vous pouviez m'aider à l'identifier ou tout du moins m'aider à la prévenir.

LA TRÈS JEUNE FILLE. Pardon c'est quand que vous aurez fini de discuter, je dois passer un coup d'aspirateur ?

LE ROI. Personnellement, je n'en ai pas pour très longtemps.

LA TRÈS JEUNE FILLE. A moins que vous puissiez aller discuter ailleurs parce que j'ai encore beaucoup à faire ensuite et il est déjà tard.

LA BELLE-MÈRE. *(très agacée, à la très jeune fille).* Non mais dis donc, vous voyez pas qu'on est occupés.

(Au roi.) Excusez-nous Sire, c'est la femme d'entretien.

LE ROI. Elle est bien jeune.

LA BELLE-MÈRE. Elle fait jeune mais elle a son âge vous savez ! Elle adore son travail.

LA TRÈS JEUNE FILLE. Bon ben, j'attends.

LE ROI. Alors voilà je vous ai presque tout dit.

LA BELLE-MÈRE. C'est très intéressant mais dites-moi, avez-vous des indices concernant cette personne inconnue ?

LE ROI. Ce sont des petits détails que j'ai pu glaner avec peine. Mon fils n'est pas très bavard. Cette jeune femme portait sur elle, d'après lui, une très jolie robe crème.

LA BELLE-MÈRE *(étonnée).* Une jolie robe crème… ah oui…

LES DEUX SŒURS. Elle était pas crème ta robe maman ?

LE ROI. Mon fils, qui n'a pas parlé avec elle très longtemps, m'a dit que cette personne, pardonnez-moi l'expression, lui était tout d'abord "rentrée dedans".

SŒUR LA GRANDE. Ah ?

LA BELLE-MÈRE *(réalisant quelque chose)*. Ah bon?

LE ROI. Oui, leur rencontre a été très rapide. Cette jeune personne était très pressée et elle lui est tout d'abord "rentrée dedans"… comme il dit.

LA BELLE-MÈRE. Ah bon, c'est drôle ça.

LE ROI. Ce sont des indices assez maigres, j'en conviens. D'autant que mon fils n'a pas eu le temps de bien graver dans sa mémoire le visage de cette jeune personne. Il était très ému m'a-t-il dit.

Un temps.

LA BELLE-MÈRE *(très émue, avec un air mystérieux)*. Hé bien, je crois Monseigneur… qu'il est possible que je puisse vous venir en aide…

LE ROI. Ah bon.

LES DEUX SŒURS. Ah bon?

LA BELLE-MÈRE *(toujours mystérieuse)*. Oui, je crois que j'ai une petite idée quant à l'identité de cette personne…

LES DEUX SŒURS. Ah bon?

LA TRÈS JEUNE FILLE. Ah bon?

LE ROI. Ah bon?

LA BELLE-MÈRE. Oui, je crois que je connais même assez bien cette personne, c'est drôle, je n'avais pas immédiatement pensé à elle… mais après réflexion…

LES DEUX SŒURS. C'est qui?

LE ROI *(enthousiaste)*. Ah, ce serait formidable ! Et vous auriez les moyens de la prévenir de cette deuxième soirée que je compte organiser pour elle ?

LA BELLE-MÈRE. Mais absolument et je saurai la convaincre d'y assister je crois.

LE ROI. C'est formidable.

LES DEUX SŒURS. Mais c'est qui ?

LA BELLE-MÈRE. Je crois préférable, mes enfants, de préserver son anonymat.

LE ROI. Je suis tout à fait d'accord. D'ailleurs, mon fils ne doit pas être au courant de ma démarche. Comme vous le savez évidemment, sa mère est morte quand il avait cinq ans. Depuis ce jour, pour lui épargner une trop grande souffrance, je lui raconte que sa mère est partie en voyage et qu'elle a du mal à rentrer à cause d'incessantes grèves des transports. Mais chaque soir, je dois trouver un nouveau mensonge pour justifier qu'elle ne l'appelle pas et ça c'est terrible.

LA BELLE-MÈRE *(au bord des larmes)*. Terrible en effet… pauvre enfant. Il attend sa mère chaque jour qui passe.

LE ROI. Vous aimez les enfants on dirait ?

LA BELLE-MÈRE *(excessive)*. Oh oui, je les adore.

LE ROI. Vous comprenez que j'ai été fou de joie en apprenant qu'il s'intéressait enfin à quelqu'un d'autre que sa mère.

LA TRÈS JEUNE FILLE. La mère de votre fils est morte ? Et il le sait pas ?

LA BELLE-MÈRE *(dure)*. De quoi elle se mêle, elle ?

LE ROI. Non, mon enfant…

LA BELLE-MÈRE. Excusez-la, vraiment, elle ne sait pas ce qu'elle dit.

LE ROI. Ce n'est rien madame. Après ces magnifiques perspectives, je suis dans une humeur incroyable. Je vais prendre congé de vous et je compte sur vous… Je compte sur vous.

LA BELLE-MÈRE. Vous pouvez.

LE ROI. Au revoir madame, au revoir mesdemoiselles, croyez dès à présent en mon infinie reconnaissance.

LA BELLE-MÈRE ET LES DEUX SŒURS. Au revoir, Sire.

Il sort.

SŒUR LA GRANDE *(à sa mère)*. C'est dingue ça !

SŒUR LA PETITE. Mais c'est qui cette personne ?

La belle-mère mystérieuse et silencieuse sort. Les sœurs la suivent. La très jeune fille reste seule, l'aspirateur à la main.

scène 10

Quelque temps plus tard. Dans la maison en verre. La belle-mère court dans les couloirs. Ses filles essaient de la suivre. En vain.

LA VOIX DE LA NARRATRICE. Depuis la visite du roi, la future femme du père de la très jeune fille ne se séparait plus d'un étrange sourire. Elle avait dit qu'elle souhaitait se rendre à cette nouvelle soirée chez le roi seule, sans ses filles et sans son futur mari. Ses filles étaient mortellement déçues. Elles n'arrêtaient pas de s'interroger : Qui était cette fameuse personne qui avait séduit le prince ? Et que leur mère connaissait si bien. La future femme du père de la très jeune fille courait partout. Elle faisait des achats dans les plus grands magasins à la mode. Concernant la robe qu'elle porterait à l'occasion de cette soirée, elle disait qu'elle avait retenu les leçons de la première fois. Il fallait tourner la page du classique et du passé. Il fallait entrer dans la modernité. "La jeunesse c'est l'avenir", disait-elle. Le père de la très jeune fille vivait reclus dans sa chambre depuis deux semaines. C'est comme s'il avait été définitivement abandonné. Et il fumait sans même s'en cacher puisque personne ne le remarquait.

Le grand soir approchait et personne ne comprenait ce qui se passait dans la tête de cette femme.

scène 11

Soir de la seconde fête chez le roi. Dans sa chambre, la très jeune fille, assise sur son lit, est vêtue de la robe de sa mère. Entre la fée.

LA FÉE *(très essoufflée)*. C'est pas vrai ! Je m'en doutais ! T'as vu l'heure ? Qu'est-ce ce que tu fais là ? J'en étais sûre. C'est pour ça que je suis venue. J'en étais sûre que t'irais pas sinon. J'ai eu un mal fou à me garer. Il est presque minuit. C'est commencé là-bas je te signale. T'attends quoi ?

LA TRÈS JEUNE FILLE. Je vais pas y aller. J'ai pas envie.

LA FÉE. T'as pas envie ? Je te crois pas. Pourquoi t'a mis cette robe alors ?
(La montre de la très jeune fille se met à sonner. La fée explose.)
Mais tu commences à nous emmerder avec cette montre ! Je te jure que ta mère, si elle pouvait l'entendre cette montre, ça commencerait vraiment à lui casser les… En plus, tu veux pas changer la sonnerie ? Elle est insupportable celle-là. On te demande pas de plus penser à ta mère, on te demande de pas y penser tout le temps, ce qui n'est pas pareil. Merde. Elle est morte ta mère… Parce que ta mère elle est pas immortelle et elle est morte et c'est comme ça… Je suis désolée…
(On entend les douze coups de minuit.)
Bon. Excuse-moi, on a plus le temps de discuter là ! Qu'est-ce que tu fais maintenant ?

LA TRÈS JEUNE FILLE. Bon je viens. Mais c'est pour vous faire plaisir vraiment.

LA FÉE. Bon ben ça, c'est sympa. Voilà. Pour me faire plaisir. C'est mieux que rien.

La fée l'entraîne vers la porte.

scène 12

Quelques instants plus tard, devant le palais. Le roi discute avec son fils et désigne la belle-mère, à quelques pas de là. La belle-mère est vêtue d'une robe très excentrique et très moderne.

LA VOIX DE LA NARRATRICE. Cette deuxième soirée organisée par le roi était encore plus extraordinaire que la première. Le roi était impatient que la future femme du père de la très jeune fille présente à son fils cette jeune personne qui l'avait tellement troublé la fois précédente.

Le très jeune prince, encouragé par son père, s'approche finalement de la belle-mère.

LA BELLE-MÈRE *(émue, assez bas pour ne pas être entendue du roi)*. Bonsoir.

LE TRÈS JEUNE PRINCE *(gêné)*. Bonsoir.

LA BELLE-MÈRE. Voilà… Je suis venue, je suis revenue, je suis là… Je suis au courant de tout… Ne me demandez pas comment je sais… Je sais et c'est tout.

LE TRÈS JEUNE PRINCE *(très étonné)*. Ah bon?

LA BELLE-MÈRE. Je suis venue pour vous dire que vous n'étiez pas seul à éprouver ce que vous éprouvez.

LE TRÈS JEUNE PRINCE. Ah bon?

LA BELLE-MÈRE. Tout d'abord je n'ai pas bien pris la mesure de ce qui s'est passé entre nous lors de notre toute première rencontre.

LE TRÈS JEUNE PRINCE. Ah bon ?

LA BELLE-MÈRE. Non… Tout ça est arrivé si vite… Jamais je n'aurais pu imaginer revivre un jour une histoire comme celle-là… Aussi beau qu'un conte… ou un rêve… non… On se connaît si peu… Vous ne dites rien ?

LE TRÈS JEUNE PRINCE. …

LA BELLE-MÈRE. Mais non ! Non non, ne dites rien… Je n'ai pas besoin que vous me parliez. Il me suffit de savoir ce que je sais.

LE TRÈS JEUNE PRINCE. Ah bon ?

LA BELLE-MÈRE. A vrai dire, tout ça me fait très peur à moi aussi.

LE TRÈS JEUNE PRINCE. Ah bon ?

LA BELLE-MÈRE. J'y ai beaucoup réfléchi vous savez mais je n'arrive pas à renoncer… J'ai envie de vivre pleinement ce qui nous arrive… Je ne sais pas ce que vous en pensez, vous ?

LE TRÈS JEUNE PRINCE *(l'air sidéré)*. …

LA BELLE-MÈRE. Non non non, ne dites rien, vous avez raison… Pas tout de suite…
(Un temps. Délicatement.) Mon amour… Vous paraissez si fragile… Et je me sens si fragile moi aussi… quand je suis près de vous… Vous tremblez on dirait…

(Le très jeune prince veut parler, la belle-mère le coupe.)

Oui taisez-vous… Non ne parlez pas, après tout… C'est mieux ainsi…

Je sais que bientôt nous serons confrontés à de gigantesques difficultés. Je sais que bientôt nous serons confrontés aux préjugés. Je vous demande : Peut-être devrions-nous garder secrets nos sentiments pour quelque temps encore ? Qu'en pensez-vous ?

(Le très jeune prince veut répondre, la belle-mère le coupe.)

Non, ne vous pressez pas pour répondre… Excusez-moi, je vous bouscule… Vous tremblez… C'est si beau, vous êtes si beau, et ça fait si peur de se retrouver là, comme ça, tous les deux… Si vous saviez mon amour, comme je me sens différente des autres femmes, comme je m'ennuie avec les autres hommes… Quand je vous vois si jeune et si fragile, je me sens si proche de vous… Je me sens comme un reflet de vous-même… Comme une autre moitié d'un fruit. Ce soir, je me sens moi-même comme une enfant… Vous tremblez de plus en plus.

Un temps.

LE TRÈS JEUNE PRINCE *(assez bas)*. Vous me faites peur.

LA BELLE-MÈRE. Comment ?

LE TRÈS JEUNE PRINCE. Vous me faites peur.

LA BELLE-MÈRE. Comment ça je vous fais peur ?

Le très jeune prince fait signe à son père de venir.

LE ROI *(s'approchant de son fils).* Qu'est-ce qui se passe mon chéri? Est-ce que la dame t'a expliqué qu'elle connaissait cette jeune personne de l'autre fois?
(A la belle-mère.) Est-ce qu'elle va bientôt venir? Est-ce qu'elle est déjà arrivée? Elle est là?

LE TRÈS JEUNE PRINCE. Papa, cette femme me dit des choses bizarres, elle me fait peur.

LE ROI. Ah bon? Elle veut simplement te présenter une personne que tu as déjà rencontrée.

LE TRÈS JEUNE PRINCE. J'ai plus envie de parler avec elle.

LE ROI *(à la belle-mère).* Mais qu'est-ce qui se passe?

LA BELLE-MÈRE *(tragique).* Je crois Majesté que votre fils a peur de vous avouer certaines choses nous concernant…
(Au très jeune prince.) Tant pis, mon chéri, nous devons dévoiler la vérité à ton père maintenant… Majesté, cette personne dont votre fils vous parlait l'autre jour, c'est moi!

LE ROI *(interloqué).* Ah bon?

LA BELLE-MÈRE. Oui.

LE TRÈS JEUNE PRINCE *(catégorique).* Mais non!

LA BELLE-MÈRE *(surprise).* Comment?!

LE ROI. Enfin madame, il n'a jamais été question pour moi que ce soit vous.

LA BELLE-MÈRE. Hé bien si ! C'est moi ! Je sais que ça pourra vous sembler un peu fou ! Mais c'est la vérité.

LE TRÈS JEUNE PRINCE. Tu vois, elle est complètement folle.

LA BELLE-MÈRE *(ne comprenant pas la situation)*. Qu'est-ce que vous racontez ? Vous avez vous-même dit à votre père que de cette personne qui vous était rentrée dedans l'autre soir, vous en étiez tombé amoureux.

LE TRÈS JEUNE PRINCE *(à son père)*. Oui, mais c'est pas elle.

LA BELLE-MÈRE *(au très jeune prince, comme si le monde s'écroulait autour d'elle)*. Mais si, c'est moi ! Enfin, dites-le-lui que c'est moi qui vous suis rentrée dedans.

LE TRÈS JEUNE PRINCE. Vous m'êtes peut-être rentrée dedans mais c'est pas vous quand même.

LA BELLE-MÈRE *(au bord des larmes)*. Mais si.

LE ROI. Enfin madame, n'insistez pas, vous êtes grossière ou bien complètement irresponsable. Je vous ai fait confiance et j'ai eu tort. Je vous demande de partir d'ici immédiatement.

LA BELLE-MÈRE *(regardant autour d'elle, incrédule)*. Qu'est-ce qui se passe ?

(Au très jeune prince.) Mais c'est moi qui vous suis rentrée dedans, je ne suis pas folle quand même, je le sais bien.

LE ROI. Partez madame.

LA BELLE-MÈRE *(pleurant)*. Mais qu'est-ce qui se passe ?

Le roi fait signe à ses gardes d'intervenir. "Qu'est-ce qui se passe ?" répète la belle-mère. Les gardes tentent de la saisir. Elle s'échappe, court, entre dans le palais poursuivie par les gardes. Elle déclenche l'hilarité chez les invités, elle ressort effrayée et en larmes. Elle perd une chaussure, un des gardes la ramasse. Elle s'enfuit en boitant. Le roi accompagne le très jeune prince à l'intérieur du palais. La très jeune fille entre.

LE TRÈS JEUNE PRINCE *(ressortant)*. Bon moi je m'en vais... Je rentre, j'en ai marre.

LA TRÈS JEUNE FILLE. Ça va pas, vous partez ?

LE TRÈS JEUNE PRINCE. Ouais je comprends rien à ce qui se passe ici.

LA TRÈS JEUNE FILLE. Ah bon ?
(Un temps.)
Vous arrêtez pas de faire des soirées en ce moment !

LE TRÈS JEUNE PRINCE. C'est un peu exceptionnel je crois.

LA TRÈS JEUNE FILLE. C'est en quel honneur, celle-là ?

LE TRÈS JEUNE PRINCE. Je sais pas, c'est mon père qui s'occupe de ça. Il m'a juste demandé de venir.

LA TRÈS JEUNE FILLE. Et tu partais donc?

LE TRÈS JEUNE PRINCE. Ouais, en fait, je suis assez pressé ce soir, j'ai un rendez-vous téléphonique vers minuit.

LA TRÈS JEUNE FILLE. Ah bon! C'est encore ta mère?

LE TRÈS JEUNE PRINCE. Ouais.

LA TRÈS JEUNE FILLE. T'as pas réussi à la joindre la dernière fois?

LE TRÈS JEUNE PRINCE. Euh non.

LA TRÈS JEUNE FILLE. Je voulais te demander : Ça fait combien de temps que vous vous ratez?

LE TRÈS JEUNE PRINCE. Euh, en fait, on s'est toujours ratés! Depuis qu'elle est partie, on n'est jamais arrivés à se parler au téléphone. Ça commence à bien faire, j'en ai marre! Ça fait bientôt dix ans!

LA TRÈS JEUNE FILLE. Dix ans?

LE TRÈS JEUNE PRINCE. Ouais, dix ans qu'elle est partie en voyage et qu'elle est coincée dans les transports à cause des grèves. Elle arrive pas à rentrer, c'est la galère et c'est long!

LA TRÈS JEUNE FILLE. Vachement! Surtout pour des grèves.

LE TRÈS JEUNE PRINCE. C'est-à-dire?

LA TRÈS JEUNE FILLE. C'est un peu long des grèves qui durent dix ans !
(Un petit temps.)
Tu trouves pas qu'il y a comme un problème avec cette histoire ?

LE TRÈS JEUNE PRINCE. Je vois pas ce que tu veux dire !?

LA TRÈS JEUNE FILLE. Tu penses pas des fois qu'on est en train de te raconter des histoires avec cette histoire ?

LE TRÈS JEUNE PRINCE. Je ne vois pas ce que tu veux dire !?

LA TRÈS JEUNE FILLE. Je crois que des fois dans la vie, on se raconte des histoires dans sa tête, on sait très bien que ce sont des histoires, mais on se les raconte quand même.

LE TRÈS JEUNE PRINCE. Ah bon ? Je crois pas que je me raconte des histoires.

LA TRÈS JEUNE FILLE. Ben si puisque tu te racontes que ta mère qui a jamais pu t'appeler depuis dix ans va t'appeler ce soir.

LE TRÈS JEUNE PRINCE. Pourquoi ce serait pas vrai ? Ma mère me fait dire qu'elle va me téléphoner alors j'ai pas de raison de croire qu'elle va pas le faire, si on me dit que ma mère va téléphoner, c'est qu'elle va téléphoner.

LA TRÈS JEUNE FILLE. Pardon, mais non.

LE TRÈS JEUNE PRINCE. C'est pas très sympa de me dire ça dis donc.

LA TRÈS JEUNE FILLE *(fort)*. Ça a rien à voir avec le fait d'être sympa ou pas ce que je dis… Ce que je dis c'est que ce soir, ta mère pour la vingt-cinq millième fois, elle va pas te téléphoner… Et que même si elle le voulait très très fort te téléphoner, elle pourrait pas te téléphoner… Parce que là où elle est ta mère, elle a pas la possibilité de le faire… Là où elle est, y a pas de fil pour se connecter avec les gens comme nous ici, elle peut pas…

LE TRÈS JEUNE PRINCE. Qu'est-ce que tu veux dire ?

LA TRÈS JEUNE FILLE. Ce que je veux dire… c'est que je crois savoir que ce soir ta maman elle va pas t'appeler… et demain non plus… et dans une semaine non plus.
(Un petit temps.)
Parce que ta maman, parce que ta mère, son cœur il bat plus… depuis dix ans… depuis dix ans elle est morte ta mère… En fait, ta mère est morte… Voilà… J'aurais préféré qu'on parle d'autre chose pour une première fois qu'on se parle vraiment mais c'est la conversation qui est partie toute seule…

LE TRÈS JEUNE PRINCE. Hé ben dis donc, c'est pas très aimable de me dire une chose pareille !

LA TRÈS JEUNE FILLE. Non ! Mais ça n'a rien à voir avec l'amabilité.

LE TRÈS JEUNE PRINCE. Tu aimerais ça moi que je te dise que ta mère est morte ?!

LA TRÈS JEUNE FILLE. Ben tu pourrais… Tu pourrais me le dire… Parce que c'est la vérité, ma mère est morte et tu sais moi aussi faut que j'arrête je crois de me raconter des histoires, me raconter qu'elle va peut-être revenir un jour ma mère, si je pense à elle continuellement par exemple non ! Elle est morte et c'est comme ça ! Elle va pas revenir ma mère ! Et elle est morte ! Comme la tienne ! Et rien ne pourra y changer ? Non rien.

LE TRÈS JEUNE PRINCE. C'est triste ce que tu racontes.

LA TRÈS JEUNE FILLE. Oui c'est triste ! Mais c'est comme ça.

LE TRÈS JEUNE PRINCE. J'ai pas envie de te croire.

LA TRÈS JEUNE FILLE. Hé bien, tu devrais parce que c'est la vérité, c'est même ton père qui l'a dit… Je l'ai entendu… Il dit ton père qu'il a fait ça pour pas que t'aies mal et que tu souffres.

LE TRÈS JEUNE PRINCE. T'as entendu mon père dire ça ?

LA TRÈS JEUNE FILLE. Ouais…
(Un temps.)
Voilà… Ta mère est morte… Ta mère est morte… Comme ça maintenant tu sais… Et tu vas pouvoir passer à autre chose… Et puis ce soir, par exemple, rester avec moi… Je suis pas ta mère mais je suis pas mal comme personne… J'ai des trucs de différents d'une mère qui sont intéressants aussi…

LE TRÈS JEUNE PRINCE. Ouais c'est vrai.

LA TRÈS JEUNE FILLE. C'est vrai quoi ?

LE TRÈS JEUNE PRINCE. Ben je me disais que c'était drôle qu'elle arrive pas à rentrer en dix ans quand même c'était un peu long.

LA TRÈS JEUNE FILLE. Ça a dû être un peu long.

LE TRÈS JEUNE PRINCE. Y a quelque chose qui tournait pas rond dans cette histoire. *(Il pleure. Elle le prend dans ses bras. Un temps.).* Merci.

LA TRÈS JEUNE FILLE. De rien…
(Elle est émue.)
Bon, c'est moi qui vais rentrer peut-être… Il est tard mais on pourra se revoir si tu veux.

LE TRÈS JEUNE PRINCE. Oui j'aimerais bien te donner quelque chose pour te remercier mais je sais pas quoi.

LA TRÈS JEUNE FILLE. C'est pas grave en fait… Tu sais, ça m'aide de te parler je crois.

LE TRÈS JEUNE PRINCE. Je peux peut-être te donner une de mes chaussures, tu m'as dit qu'elles te plaisaient l'autre fois.

LA TRÈS JEUNE FILLE. Ah bon j'avais dit ça ?

LE TRÈS JEUNE PRINCE. Tu le pensais pas ?

LA TRÈS JEUNE FILLE. Si si bien sûr… Bon t'as qu'à me donner une de tes chaussures en souvenir. C'est bien t'as raison.

Il lui donne sa chaussure.

LE TRÈS JEUNE PRINCE. Alors voilà, ça fera un souvenir, c'est mieux que rien, j'ai rien d'autre à te donner pour le moment.

LA TRÈS JEUNE FILLE. Bon ben, merci.

LE TRÈS JEUNE PRINCE. Au revoir.

LA TRÈS JEUNE FILLE. Au revoir.

LE TRÈS JEUNE PRINCE. Tu t'appelles comment ?

LA TRÈS JEUNE FILLE. En ce moment on m'appelle
"Cendrier".

LE TRÈS JEUNE PRINCE. Cendrillon ?

LA TRÈS JEUNE FILLE. Non pas "Cendrillon" ! Mais
si t'as raison, c'est plus joli, appelle-moi Cendrillon… ou Sandra.

Elle sort. Le très jeune prince la regarde partir.

scène 13

*Dans la maison en verre. La sœur la grande est
assise sur une chaise, l'air accablée.*

LA VOIX DE LA NARRATRICE. Le lendemain dans la
grande maison en verre, c'était l'inquiétude. Depuis
qu'elle était rentrée de la soirée organisée par le roi,
la future femme du père de la très jeune fille n'était
pas sortie de sa chambre. On avait appelé plusieurs
docteurs tellement son état inquiétant inquiétait.

Entre la très jeune fille.

SŒUR LA GRANDE. T'as pas mieux à faire que de traîner sans but comme ça comme une touriste, tu m'énerves, c'est pas possible ! Ce que tu es exaspérante, ma pauvre fille…

LA TRÈS JEUNE FILLE. J'ai plus tellement envie qu'on me donne des ordres ce matin. Je sais pas pourquoi.

SŒUR LA GRANDE. Qu'est-ce que tu racontes ? T'as même pas débarrassé la table j'ai vu.

LA TRÈS JEUNE FILLE. Oui je sais.

La sœur la petite entre.

SŒUR LA PETITE *(désignant la chambre de sa mère)*. Elle là-bas, ça va pas du tout.

SŒUR LA GRANDE *(désignant la très jeune fille)*. Et elle non plus ici on dirait.

On sonne à la porte.

SŒUR LA PETITE *(à la très jeune fille)*. C'est ta montre ?

LA TRÈS JEUNE FILLE. Non, c'est la porte.

LES DEUX SŒURS. Ben vas-y.

LA TRÈS JEUNE FILLE. Je préférerais ne pas y aller je crois.

SŒUR LA GRANDE. Mais ça va pas bien la tête ! Déjà que notre mère est tombée malade ce matin. T'es complètement irresponsable ou quoi ?

LE ROI *(entrant, entouré de ses gardes).* Excusez-moi, je me suis permis d'entrer, la porte était grande ouverte.

SŒUR LA GRANDE. Merde c'est vous Majesté? On est pas coiffées.

LE ROI. Vous êtes très bien comme vous êtes.

SŒUR LA PETITE. Qu'est-ce qui vous amène Sire cette fois?

LE ROI. Mon fils a revu hier cette jeune personne de l'autre jour que je recherchais déjà en vain il y a deux semaines. Mais mon fils est étourdi, ils ne se sont pas échangé leurs coordonnées en partant.

SŒUR LA GRANDE. Ben vous savez, nous on n'était pas à votre soirée.

LE ROI. Ah bon? Mon fils est complètement transformé, il me parle sans cesse de cette jeune femme. J'ai lancé une grande opération de recherche, j'y participe moi-même. Vous ne pensez pas que quelqu'un qui habiterait ici chez vous aurait pu se rendre à cette soirée. Je ne sais pas… par exemple, de façon anonyme? Et ainsi rencontrer mon fils…
(Il montre la très jeune fille.)
Cette jeune personne par exemple n'habite pas chez vous?

SŒUR LA GRANDE. Elle, vous avez vu l'allure?

Un petit temps.

LA TRÈS JEUNE FILLE *(au roi)*. Excusez-moi Monseigneur, je crois que c'est moi qui ai parlé avec votre fils hier soir, on s'est pas donné nos coordonnées c'est vrai, on y a pas pensé.

LE ROI. Ah bon, c'est vous?

SŒUR LA GRANDE. Mais elle débloque ou quoi?!

SŒUR LA PETITE *(à la très jeune fille)*. Et t'es allée habillée comme ça à la soirée?

SŒUR LA GRANDE. Habillée comme un chimpanzé?

LA TRÈS JEUNE FILLE. Non, je me suis habillée autrement, avec une robe de ma mère.

LE ROI *(aux deux sœurs)*. Vous savez, c'est très simple de vérifier ses propos. Mon fils m'a dit qu'il avait offert en souvenir à cette jeune personne une de ses chaussures.

LES DEUX SŒURS *(étonnées)*. Une de ses chaussures?

LE ROI. Oui! Ça ce sont les jeunes! Donc, il est très facile maintenant de demander à cette mademoiselle si elle est en possession de cette chaussure de mon fils.

La très jeune fille sort.

SŒUR LA GRANDE. Là vous êtes en train de vous raconter une histoire dans votre tête Majesté.

SŒUR LA PETITE. Complètement!

SŒUR LA GRANDE. On vous aura prévenu.

SŒUR LA PETITE. Vous vous faites du mal !

SŒUR LA GRANDE. En plus, cette fille c'est pas un cadeau, à part si vous voulez monter une société de nettoyage.

SŒUR LA PETITE. Et encore ! Elle-même, elle est pas hyper propre.

SŒUR LA GRANDE. Ah ouais c'est vrai, on l'appelle Cendrier entre nous, vous avez qu'à voir.

LE ROI. Mon fils m'avait évoqué le prénom de cette jeune fille : quelque chose comme Cendrillon.

SŒUR LA GRANDE. Nous, c'est Cendrier qu'on connaît !

La très jeune fille revient, la chaussure du très jeune prince dans les mains.

LA TRÈS JEUNE FILLE *(au roi)*. C'est pas ça dont vous parlez ?

Elle lui donne la chaussure.

LE ROI *(examinant la chaussure)*. Attendez voir… Ben si, c'est la chaussure de mon fils, c'est marqué le nom du fabricant à l'intérieur !

LES DEUX SŒURS *(interloquées)*. Ah bon ?

LE ROI. Et c'est sa pointure. Il chausse très petit pour son âge.
(A la très jeune fille.) Ben alors, c'est vous la princesse de mon fils ?!

LES DEUX SŒURS. Quoi ?

LA TRÈS JEUNE FILLE. Il me l'a donnée en souvenir, il m'a dit.

LE ROI *(à la très jeune fille)*. Je crois que vous êtes en train de transformer sa vie et la mienne par la même occasion. Depuis dix ans, il ne faisait que parler de sa mère et aujourd'hui, il me parle plus que de vous. *(De plus en plus enjoué.)* Je crois que je vais organiser une autre grande soirée très prochainement alors ! J'adore les soirées moi, qu'est-ce que vous en dites ?

LA TRÈS JEUNE FILLE. Ben oui, ça peut se faire si votre fils y est aussi, on boira un coup ensemble.

LE ROI. Ça c'est formidable. J'adore m'amuser moi. *(Aux sœurs.)* Evidemment vous êtes invitées vous aussi. Bon ben, c'est une belle journée qui commence tout ça. Je ne vous embrasse pas mais le cœur y est. A très très bientôt donc. Je cours annoncer la bonne nouvelle à qui vous savez.

Le roi sort. Les deux sœurs regardent fixement la très jeune fille, l'air sidérées.
Au bout d'un moment, la belle-mère entre, chancelante, abattue.

LA BELLE-MÈRE *(à ses filles)*. C'est quoi ce boucan ? Qu'est-ce qui se passe ? Vous avez des têtes de cimetière ! Il est arrivé quelque chose encore ?

SŒUR LA GRANDE *(effrayé, ménageant sa mère)*. Non, rien maman.

SŒUR LA PETITE *(même attitude que sa sœur)*. Rien.

SŒUR LA GRANDE. Rien du tout, t'inquiète pas…
Y est rien arrivé.

SŒUR LA PETITE. Pas du tout.

LA BELLE-MÈRE. C'est Cendrier ou quoi?

SŒUR LA GRANDE. Non non, pas du tout.

SŒUR LA PETITE. Rien n'est arrivé avec Cendrier,
rien du tout.

La très jeune fille sort.

SŒUR LA PETITE. Y s'est rien passé avec elle.

SŒUR LA GRANDE. Rien du tout.

SŒUR LA PETITE. Rien du tout maman, t'inquiète
pas.

LA BELLE-MÈRE. J'aime mieux ça.

SŒUR LA GRANDE. Rien du tout.

La belle-mère sort à son tour, de plus en plus faible.

LA VOIX DE LA NARRATRICE. De ce jour, la très jeune
fille partit de cette maison avec son père. Ils trou-
vèrent un logement provisoire, et puis quelque temps
plus tard, son père se remaria mais cette fois avec
une femme moins désagréable. En plus, il arrêta de
fumer. Pendant ce temps chez l'ex-future femme du
père de la très jeune fille, il arriva un phénomène
curieux. Les oiseaux, comme par un effet magique,
ne se cognaient plus contre les parois invisibles de la
maison. C'est comme si maintenant ils étaient pré-
venus du danger. Par contre, de façon curieuse, les

bruits, que faisait l'impact contre le verre quand ils se cognaient, continuèrent, pendant assez longtemps et ça troublait la tranquillité de la petite famille. Heureusement, un jour ça cessa.

scène 14

LA VOIX DE LA NARRATRICE. Alors voilà l'histoire se termine. C'est la fin. Comme je vous l'ai dit pour commencer, je ne me rappelle plus si cette histoire est la mienne ou bien l'histoire de quelqu'un d'autre. Mais ça n'a pas d'importance. Aujourd'hui, ma mémoire est fatiguée, c'est comme si mon corps et ma voix n'habitaient plus au même endroit. Ma vie a été longue, très longue et très heureuse, alors je suis comblée. J'ai beaucoup aimé, j'ai eu quelques enfants et j'ai vécu plein d'événements, impossibles à raconter. Mais je le sais... il y a encore un détail concernant la très jeune fille que vous aimeriez savoir. Alors ce détail je vais vous le dire. La très jeune fille, qui était curieuse et courageuse, demanda un jour à la fée devenue son amie de pouvoir réentendre les mots de sa mère prononcés avant de mourir. Ainsi la fée, qui avait ce pouvoir, lui permit de revenir sur le passé. Et voilà ce qu'elle a pu entendre.

Chambre de la mère mourante comme au début de l'histoire.
La très jeune fille accompagnée de la fée revoit la scène des derniers instants passés avec sa mère. Comme devant une projection.

LA MÈRE. Ma chérie… Si tu es malheureuse, pour te donner du courage, pense à moi… Mais n'oublie jamais, si tu penses à moi fais-le toujours avec le sourire.

LA VOIX DE LA NARRATRICE. Bien sûr ça la rendit triste de revoir ainsi sa mère. Et de réaliser à quel point elle l'avait mal comprise. Mais à partir de ce jour, quand elle pensait à elle, c'était de la force qu'elle ressentait.

scène 15

Plus tard. Une nuit de fête. Musique.
Le très jeune prince et la très jeune fille dansent, se déchaînent.

LA VOIX DE LA NARRATRICE. Et ces moments-là non plus elle ne les oublia jamais. Même après que la vie les a éloignés l'un de l'autre, le très jeune prince et la très jeune fille s'écrivirent. Ils s'envoyèrent des mots même de l'autre bout du monde, et ça jusqu'à la fin de leur existence. Voilà c'est fini. Même les erreurs ont une fin heureusement. Alors moi, je me tais et je m'en vais.

POSTFACE

par Marion Boudier

Docteur en arts du spectacle, Marion Boudier est agrégée de lettres modernes, spécialisée dans la dramaturgie moderne et contemporaine. Elle enseigne les études théâtrales à l'université et codirige par ailleurs la revue électronique des arts de la scène Agôn *(http://agon.ens-lyon.fr/).*

Joël Pommerat, né en 1963, est actuellement l'un des auteurs et metteurs en scène français contemporains les plus importants. Après des débuts comme acteur à dix-neuf ans, il s'est investi dans l'écriture puis a fondé la Compagnie Louis Brouillard en 1990, avec laquelle il s'est engagé en 2003, le jour de ses quarante ans, à créer au moins un spectacle par an pendant quarante ans. Après *Pôles* (1995), *Mon ami* (2001) et *Cet enfant* (d'abord intitulé *Qu'est-ce qu'on a fait ?*, 2003), les spectacles *Au monde* (2004), *D'une seule main* (2005) et *Les Marchands* (2006) marquent le début de sa reconnaissance par le grand public : cette trilogie explore les questions, récurrentes dans le reste de son œuvre, des relations à la famille, au pouvoir et au travail. En 2006, Pommerat ouvre la soixantième édition du Festival d'Avignon avec la reprise du *Petit Chaperon rouge* (2004). A nouveau invité au Festival en 2008, il y reprend *Je tremble (1)* et crée *Je tremble (2)*, deux spectacles à mi-chemin entre le cabaret et le cabinet de curiosités qui nous présentent quelques spécimens de l'humanité en prise avec leurs idéaux. En 2008 également, il écrit et met en scène *Pinocchio* d'après le conte de Carlo Collodi. Accueilli en résidence par Peter Brook au Théâtre des Bouffes du Nord à

Paris (2006-2010), Pommerat ferme le demi-cercle des gradins caractéristique de cette salle pour créer *Cercles/Fictions* selon le dispositif d'un théâtre en rond, vecteur d'une plus grande proximité entre la scène et la salle. En 2011, il a continué d'explorer cette scénographie avec *Ma chambre froide*, qui met en scène des employés devenus propriétaires de leur entreprise à la seule condition de consacrer une journée par an à leur ancien patron, sous la forme d'une pièce de théâtre. Estelle, femme à tout faire, en rêve les magnifiques tableaux et se dédouble en un frère violent afin de contraindre ses collègues à répéter. En 2011, Pommerat a également créé trois autres spectacles : l'opéra *Thanks to my eyes*, transformant sa pièce *Grâce à mes yeux* (2002) en un livret mis en musique par Oscar Bianchi au Festival d'Aix-en-Provence, *Cendrillon*, créée au Théâtre national de Bruxelles en octobre, puis *La Grande et Fabuleuse Histoire du commerce*, fiction au processus d'écriture pseudo-documentaire[1] qui met en scène des vendeurs à domicile. On trouve dans les quatre spectacles de cette fertile année 2011 les principales tonalités de l'œuvre de Pommerat : une observation

1. Voir Marion Boudier, "Un théâtre « presque documentaire » ? Influences et imitations documentaires chez Lars Norén et Joël Pommerat", in Lucie Kempf et Tania Moguilevskaia (dir.), "Le théâtre néo-documentaire : résurgence ou réinvention ?", Presses universitaires de Nancy, à paraître en 2013. Pour une approche synthétique de l'ensemble de l'œuvre, voir Marion Boudier et Guillermo Pisani, "Joël Pommerat : une démarche qui fait œuvre", in *Cahiers de théâtre JEU*, Montréal, n° 127, 2008, p. 150-157 ; Christophe Triau, "Fictions / Fictions. Remarques sur le théâtre de Joël Pommerat", in *Théâtre/Public*, Gennevilliers, n° 203, 2012, p. 82-92.

quasi anthropologique du réel, une singulière étrangeté, une épure parfois poussée jusqu'à l'abstraction et un véritable plaisir de la fable. Ecrites et mises en scène à quelques semaines d'intervalle, *Cendrillon* et *La Grande et Fabuleuse Histoire du commerce* représentent selon leur auteur "deux pôles de [s]a recherche, d'un côté le fictionnel et de l'autre le documentaire[1]". Mais ces deux pôles ne s'opposent pas de manière stricte tant Pommerat sait à la fois donner à la fiction la force de vérité du réel et révéler la part de fiction et d'imagination constitutive de notre rapport au monde.

*

"ON POURRAIT DIRE QUE JE FAIS LE MÊME TRAVAIL QUE LES CONTEURS D'AUTREFOIS" : LA PLACE DU CONTE DANS L'ŒUVRE DE JOËL POMMERAT

Cendrillon est le troisième conte, mythe ou récit populaires (les trois termes sont employés par l'auteur) adapté par Pommerat après *Le Petit Chaperon rouge* en 2004 et *Pinocchio* en 2008. Créer des spectacles à partir de ces récits patrimoniaux, matière narrative connue de tous, ouverte à plusieurs interprétations et maintes fois réécrite[2], est emblématique de son goût pour le palimpseste : il dit

---

1. Joël Pommerat, entretien avec Joëlle Gayot, *Changement de décor*, France Culture, 19/12/2011.
2. Voir Nicole Belmont et Elisabeth Lemirre, *Sous la cendre. Figures de Cendrillon*, Paris, José Corti, coll. Merveilleux nᵒ 34, 2007. Nous avons tous en tête les versions de Perrault (1697), des frères Grimm (1812) et de Walt Disney (1950).

par exemple avoir écrit *Au monde* "sur le parchemin des *Trois sœurs*[1]" (Tchekhov) et s'est notamment inspiré de *Macbeth* (Shakespeare) pour certaines scènes de *Cercles/ Fictions* et de *La Bonne Ame du Se-Tchouan* (Brecht) pour le personnage d'Estelle dans *Ma chambre froide*. En reprenant des contes, Pommerat s'amuse encore à "dire la même chose autrement/dire autre chose semblablement[2]", selon la célèbre formule du théoricien de l'intertextualité Gérard Genette. Ses adaptations formelles (dramatisation) et relectures interprétatives sont guidées par une dynamique de réappropriation et d'invention plutôt que par un souci de fidélité ou par celui de la simple actualisation. Dans la réécriture des contes, Pommerat continue d'affirmer une recherche esthétique singulière[3].

Tout d'abord, il importe de souligner que si l'adaptation de contes n'est pas un art à part pour l'auteur-metteur

---

1. Joël Pommerat, *Théâtre en présence*, Arles, Actes Sud-Papiers, coll. Apprendre, 2007, p. 23.

2. Gérard Genette, *Palimpsestes, la littérature au second degré*, Paris, Seuil, 1982, p. 13.

3. Pommerat s'inscrit dans la catégorie des auteurs pour qui, selon la spécialiste du théâtre jeune public Marie Bernanoce, l'adaptation de contes va de pair avec "l'éclosion d'écritures originales et fortes dans lesquelles les contes ne sont pas seulement adaptés mais deviennent le matériau de recherches esthétiques et imaginaires les réinscrivant véritablement dans le contemporain". L'universitaire oppose l'"adaptation-recréation" à la "récréation", traduction moderne d'un patrimoine culturel à visée parodique : voir "Les réécritures de contes dans le théâtre contemporain pour les jeunes : un nouveau regard sur les relations familiales ?", in *D'un conte à l'autre, d'une génération à l'autre*, Catherine d'Humières (dir.), Presses universitaires Blaise Pascal, Clermont-Ferrand, 2008, p. 133-146.

en scène, c'est sans doute parce que le conte constitue une sorte de modèle pour toute son œuvre. Dans *Troubles*, en référence à *La Pensée des contes* du philosophe et anthropologue François Flahault, Pommerat avance l'idée que l'"on pourrait dire qu['il fait] le même travail que les conteurs d'autrefois" :

> Un conte, c'est une durée, celle d'un récit, et c'est un état d'*être ensemble*. Pour *être ensemble*, si je veux intéresser le spectateur et être avec lui, je vais travailler sur ses représentations. C'est une forme de stratégie. Je suis un conteur, je vais agir avec son imaginaire[1].

L'idée de communauté, fondée sur le partage d'un même espace-temps entre acteurs et spectateurs et sur la création d'un lien par l'imaginaire, est certes le propre du phénomène théâtral, mais Pommerat y est particulièrement sensible et s'intéresse à ses différentes modalités. Le conte relève d'une tradition orale et communautaire, plaisir de se réunir pour écouter ensemble une histoire. Dans ses adaptations, Pommerat réactive ce plaisir de l'histoire contée à travers la présence d'un personnage narrateur, qui s'adresse directement aux spectateurs pour les inviter à écouter et pour les aider à entrer dans la fiction. On retrouve au début du *Petit Chaperon rouge* et de *Cendrillon* les embrayeurs types du conte "il était une fois" et "il y a très longtemps" ; *Pinocchio* débute par cette apostrophe engageante : "Mesdames messieurs, bonsoir je vous souhaite la bienvenue. L'histoire que

---

1. Joël Pommerat, in Joëlle Gayot et Joël Pommerat, *Joël Pommerat, troubles*, Arles, Actes Sud, 2009, p. 60.

je vais vous raconter ici ce soir est une histoire extraordinaire [...][1]. "Le récit, celui d'un conteur présent
sur scène ou d'une voix qui raconte, invite à s'abandonner, aiguise la curiosité, guide et accompagne tout
à la fois. La voix du conteur peut aussi apparaître tel
un cadre rassurant par rapport à des dialogues tendus
ou violents entre les personnages. Les contes illustrent
en effet souvent le pouvoir de la parole et des mots[2] ;
la réécriture de *Cendrillon* en est un parfait exemple
(nous y reviendrons).

Si l'adresse du conteur vise à constituer l'auditoire
en communauté, l'"état d'*être ensemble*" recherché par
Pommerat repose également sur la possibilité d'imaginer
ensemble mais individuellement. Cette communauté n'a
rien d'une adhésion fusionnelle et consensuelle, on pourrait plutôt la qualifier de "communauté émancipée" en
reprenant la terminologie de Jacques Rancière[3]. La dramaturgie et les mises en scène de Pommerat s'efforcent
de laisser une place à l'imaginaire de chacun, le spectateur étant invité à élaborer sa propre vision de l'histoire ;
mais contrairement à la distanciation brechtienne, cette
activation de la réception est visée au sein d'une esthétique de la proximité. Dans cette perspective, le conte est

1. Joël Pommerat, *Pinocchio*, Arles, Actes Sud-Papiers, Théâtre de
Sartrouville, coll. Heyoka, 2008, p. 7.
2. Voir François Flahault, "Contraste entre la parole du conteur et celle
des personnages du conte", in *La Pensée des contes*, Paris, Anthropos,
Economica, coll. Psychanalyse, 2001, p. 35-40.
3. Jacques Rancière, *Le Spectateur émancipé*, Paris, La Fabrique,
2008, p. 29 : "Une communauté émancipée est une communauté de
conteurs et de traducteurs."

exemplaire, car il appartient à une culture et à un imaginaire collectifs, tout en étant nécessairement lié à l'enfance et aux souvenirs personnels de chacun. De plus, son économie narrative, ses archétypes et les grands thèmes qu'il aborde sans toujours directement les nommer laissent tout loisir à ses récepteurs de compléter, d'interpréter ou d'historiciser son contenu. Même si cette forme brève peut être très précise sur certains détails, le conte possède un "côté élémentaire" qui offre à ses lecteurs-spectateurs la possibilité d'imaginer certains éléments descriptifs ou narratifs :

> C'est élémentaire du point de vue des personnages et des relations, un frère, une sœur, un père, une mère, une marâtre, une sorcière, un mauvais génie. Du coup, cette économie permet de ne pas *saturer* l'imaginaire de celui qui regarde, de lui laisser une grande place[1].

Ainsi le conte permet-il d'"utiliser ce que le spectateur apporte pour écrire avec cet imaginaire[2]". Au cœur de la démarche d'écriture de Pommerat, il apparaît en conséquence comme "une sorte de modèle [...] de condensation et de retenue" :

> [le conte], c'est l'épure, l'économie du mot, la simplicité, l'action, c'est dire, et, en même temps, c'est surtout ce qu'on ne dit pas. Ecrire, c'est travailler à ce qui est

---

1. Joël Pommerat, in *Joël Pommerat, troubles*, *op. cit.*, p. 69.
2. Joël Pommerat, entretien avec Kathleen Evin, *L'Humeur vagabonde*, France Inter, 19/12/2011.

dit et travailler à ce qui n'est pas dit, et cela on le trouve dans les contes [...][1].

En écho à cet équilibre entre dire et ne pas dire, la pénombre et un jeu sur le cacher/montrer assuré par l'éclairagiste et scénographe Eric Soyer cherchent à reproduire le "rapport que nous entretenons avec les personnages d'un livre à la lecture[2]". Pour que les situations et les personnages finissent de prendre réalité dans l'esprit du spectateur, il faut qu'ils possèdent une part d'ouverture, d'indéterminé et d'invisible, comme les héros de roman que nous nous représentons mentalement en superposant images littéraires, culture et fantasmes personnels. Au début de *Cendrillon* (p. 9), la voix de la narratrice, la voix du conte immémoriale et sans lieu d'origine, se demande en ce sens si nous aurons "assez d'imagination" pour l'entendre et la comprendre, tandis que les murs de la scène sont métamorphosés en un ciel bleu qui offre au spectateur de vastes horizons émotionnels et interprétatifs. Influencé par l'idée d'un "mur de l'imagination[3]" sur lequel se refléteraient les pensées de Sandra, idée qui ne s'est finalement pas dramaturgiquement concrétisée dans la pièce, le dispositif scénographique et vidéographique transforme la boîte noire et close du théâtre en un espace ouvert à l'imagination du public.

1. Joël Pommerat, entretien avec Laurent Goumarre, *Le Rendez-vous*, France Culture, 19/12/2011.
2. Joël Pommerat, in *Joël Pommerat, troubles*, *op. cit.*, p. 32.
3. Notes inédites de Joël Pommerat. Dans la pièce, la narratrice nous conte que Sandra imaginait "des histoires qui la réconfortaient [...] et qu'elle projetait sur les murs autour d'elle", p. 32.

Par ailleurs, si le modèle du conte traverse toute l'œuvre, c'est sans doute également parce que Pommerat trouve en lui celui d'une écriture actantielle, c'est-à-dire une manière de construire un récit à partir des personnages et de leurs relations, la possibilité d'une intrigue fondée sur leurs interactions ou déliaisons. "Nous n'existons que par les personnes qui nous entourent. [...] Nous sommes des fils et nous sommes liés les uns avec les autres/nous formons un grand tissu[1]", affirme L'Homme le plus riche du monde dans *Je tremble (1 et 2)*. Les liens de famille notamment, qui sont souvent au centre des contes, sont la matrice d'un grand nombre de pièces de Pommerat, comme *Cet enfant*, *D'une seule main* ou *Au monde*. La relation père-fils est au centre de *Grâce à mes yeux* et de *Pinocchio*, lui-même influencé par ses mauvaises relations, tandis que *Le Petit Chaperon rouge* souligne les liens de trois générations de femmes (fille, mère, grand-mère). Ces deux dernières pièces représentent le difficile équilibre entre obéir et grandir pour trouver sa place dans le "grand tissu". L'importance de ces liens s'exprime parfois dès la manière de nommer les personnages : ainsi la belle-mère dans *Cendrillon* est-elle "la future femme du père de la très jeune fille" puis "l'ex-future femme du père de la très jeune fille". C'est à nouveau le lien, l'attachement amoureux ou affectif, qu'explore la dernière création de Pommerat, *La Réunification des deux Corées* (2013). Comme l'explique encore l'auteur-metteur en scène :

---

1. Joël Pommerat, *Je tremble (1 et 2)*, Arles, Actes Sud-Papiers, 2009, p. 21.

Dans les contes [...] il n'est question que de familles. Mais, comme dans mes pièces, ce n'est pas la personne en elle-même qui est importante, *c'est ce qu'elle va faire en rapport* avec l'autre. Et ce n'est pas cet autre qui est important, c'est la relation, *le récit* qui va naître et exister entre eux[1].

Les contes, en effet, selon François Flahault, "trahissent les présupposés d'une sorte d'économie fondamentale des rapports à l'autre[2]" : ils révèlent certaines structures du désir et du manque, révélation qui prend pour l'auditeur-spectateur la forme d'un apaisement à travers le plaisir que lui procure le récit.

"C'EST PAS DU TOUT POUR LES ENFANTS VOTRE MACHIN"

Par conséquent, il convient d'ajouter pour clore cette première approche du conte dans l'œuvre de Pommerat, avant d'entamer la lecture de *Cendrillon*, que ses adaptations de contes ne sont absolument pas cantonnées à la catégorie "spectacle pour enfants". L'auteur-metteur en scène raconte avoir commencé à travailler sur ces récits pour tenter d'intéresser ses propres filles à son théâtre[3], mais il confie également que ces histoires ont imprégné

1. Joël Pommerat, in *Joël Pommerat, troubles*, *op. cit.*, p. 68.
2. Voir *La Pensée des contes*, *op. cit.*, chap. 2.
3. Voir Joël Pommerat, *Le Petit Chaperon rouge*, Arles, Actes Sud-Papiers, Théâtre de Sartrouville, coll. Heyoka, 2005, p. 45.

son caractère et influencé des choix importants de son existence :

S'il m'arrive d'écrire à partir de contes aujourd'hui, c'est parce que je suis certain que ces histoires vont toucher les enfants bien sûr, mais qu'elles vont me toucher moi également en tant qu'adulte[1].

A l'origine, les contes ne s'adressaient pas qu'aux enfants, et la manière dont Pommerat se les réapproprie cherche à se démarquer, sur le fond comme dans la forme, d'un théâtre jeune public édulcoré. S'il questionne l'historicité de la morale des contes en mettant à son tour en scène le passage de l'enfance ou de l'adolescence à l'âge adulte, les liens entre les générations et le rapport à la vérité dans les relations humaines, on peut considérer que Pommerat aspire dans ces adaptations au même type d'expérience que dans ses autres pièces : "Joue[r] à retrouver ce que c'est, *vraiment*, souffrir […], éprouver sans subir[2]." Il invite les (jeunes) spectateurs à expérimenter ce qui dans la vie les terrasserait : la peur, le mal, la mort, etc. "Les rapports entre les personnages peuvent être violents et produisent dans l'imaginaire des émotions qui ne sont pas du tout légères. Ce sont des émotions qui ne concernent pas seulement les enfants[3]", développe Pommerat dans un entretien au sujet de *Cendrillon*. La

1. Joël Pommerat, entretien avec Christian Longchamp, magazine du Théâtre de La Monnaie, Bruxelles, 03/09/2011 (http://www.lamonnaie.be/fr/mymm/print/article/25/).
2. Joël Pommerat, in *Joël Pommerat, troubles*, op. cit., p. 65.
3. Joël Pommerat, entretien avec Christian Longchamp, op. cit.

souffrance dans ce conte est indissociable du "désir de vivre[1]", perdu puis retrouvé par Sandra. *Le Petit Chaperon rouge* est de la même manière "une initiation à la peur" qui implique de traiter "l'autre versant de cette émotion qui est le désir[2]".

Dès cette première réécriture en 2004, Pommerat a également postulé pour les contes une même qualité d'écriture spectaculaire que pour ses autres pièces :

> Au niveau de la forme de mes spectacles (la façon d'envisager le jeu des acteurs, le rapport de la lumière, du son et de l'espace) et même de l'exigence que nous mettons dans notre travail, comédiens et techniciens, je suis à peu près sûr qu'il n'y a pas de différence à rechercher entre les différents publics. Je suis au contraire persuadé que les enfants ont le droit à la même qualité de recherche, à la même volonté de perfection. Je crois que les enfants ont le droit qu'on ne change pas de façon de faire et d'envisager le théâtre pour eux[3].

L'artiste affirme même essayer de "radicaliser certains de [s]es partis pris[4]". Les contes sont en effet des espaces d'expérimentation spectaculaire. *Le Petit Chaperon rouge*, par exemple, tout en prolongeant la recherche sonore des précédents spectacles (bruitages, traitement des voix amplifiées), est caractérisé par une invention

---

1. Notes inédites de Joël Pommerat.
2. Joël Pommerat, *Le Petit Chaperon rouge*, dossier de presse du TEP, Paris, 2005.
3. *Ibid.*
4. Joël Pommerat, entretien avec Christian Longchamp, *op. cit.*

formelle importante, la disjonction entre le récit (pris en charge par un narrateur) et des images illustratives. Pommerat a ensuite développé ce procédé dans *Les Marchands*, où l'histoire est racontée de deux manières simultanément, par une voix off et à travers des scènes muettes entre les personnages qui viennent parfois mettre en doute les paroles que l'on entend. Avec *Cendrillon*, il réalise un effet dont il rêvait depuis plusieurs années : "Utiliser la vidéo pour faire évoluer la couleur sur les murs[1]." Dans le spectacle, les images de Renaud Rubiano tapissent les côtés de la boîte noire de nuages ou de motifs géométriques, parfois de mots, et font voler en éclats les limites de la scène à laquelle elles donnent hauteur et profondeur mais aussi mouvement.

Pour les contes comme pour les autres pièces, le texte publié n'est donc que la trace, lacunaire, d'un spectacle total où les mouvements des acteurs dans l'espace, le son, la lumière sont aussi importants que les mots[2]. Autant que possible, nous ne dissocierons donc pas notre analyse de *Cendrillon* du spectacle créé par Pommerat en octobre 2011 au Théâtre national de Bruxelles.

1. Joël Pommerat, entretien avec Laure Naimski, Paris, 2006 (http://www.culturesfrance.com/evenement/ev280.html).
2. Voir Joël Pommerat, in *Joël Pommerat, troubles, op. cit.*, p. 19 : "Le texte, c'est la trace que laisse le spectacle sur le papier."

IL ÉTAIT UNE FOIS SANDRA-CENDRIER-CENDRILLON OU L'INQUIÉTANTE ÉTRANGETÉ D'UNE ADAPTATION

Photo n° 1 (Acte I, scène 5)
Caroline Donnelly, Catherine Mestoussis,
Noémie Carcaud, Alfredo Cañavate, Deborah Rouach

Pommerat propose une relecture moderne et sombre du conte[1] dans laquelle l'héroïne, rebaptisée Sandra,

---

1. Hors du champ théâtral, l'adaptation de Roald Dahl ("Vous croyez j'en suis sûr, connaître cette histoire / Vous vous trompez : la vraie est bien plus noire […]", *Un conte peut en cacher un autre*, Gallimard jeunesse, coll. Folio cadet, 1982) ou celle de Claude Bourgeyx ("Le malaise de Cendrillon", *Le Fil à retordre*, Nathan poche, n° 51, 1991) sont d'autres exemples de réécritures noires du conte pour la jeunesse. Claude Cahun dans "Cendrillon, l'enfant humble et hautaine" dépeint par ailleurs une Cucendron jouissant de son "humiliation quotidienne"

est victime de sa famille recomposée autant que d'elle-même. La "très jeune fille" est transformée en "femme d'entretien" (II, 9, p. 87) par sa belle-mère, mais la fée ne lui procure aucune robe de bal ni carrosse et doit chercher une voiture pour la conduire au palais. D'ailleurs Sandra ne désire pas se rendre à l'anniversaire du prince, trop occupée à penser à sa mère morte, dont une montre lumineuse munie d'une alarme tonitruante (sur la mélodie de "Ah! vous dirais-je maman") lui rappelle le souvenir toutes les cinq minutes. Dès le début, cette montre perturbe la scène des présentations (photo n° 1) et déclenche la jalousie de la belle-mère, mettant immédiatement fin à sa tentative de "fusion" des deux familles. Entièrement soumis à sa nouvelle femme, le père explique à Sandra qu'elle est désormais "une grande fille" capable de comprendre et de l'aider à "tourner la page" pour "refaire [s]a vie" (I, 10, p. 38). Il vient la voir en cachette dans sa chambre (une cave) pour fumer ; la fée n'arrive pas, elle non plus, à arrêter "ce truc" (I, 13, p. 49) : Sandra dégage en conséquence une forte odeur de tabac qui lui vaut le surnom de Cendrier. Elle ne reçoit celui de Cendrillon qu'à la fin de la pièce : c'est le prince qui, sur un malentendu, le lui donne lors de leur deuxième rencontre (II, 12, p. 104) comme pour nous assurer que, malgré la version sombre du personnage écrite par Pommerat, tout

et à la recherche d'un prince qui la "maltraitât" (*Héroïnes*, Mille et une nuits, n° 505, 2006). Dans le théâtre moderne et contemporain, on peut mentionner *Cendrillon* [1901] de Robert Walser (Editions Zoé, coll. Mini Zoé, 2006) et les *Drames de princesses* d'Elfriede Jelinek (Paris, L'Arche, 2006).

finira bien pour la jeune fille conformément au conte original. Sandra est effectivement allée au bal, habillée d'une robe que sa mère a elle-même portée pour un mariage (p. 74), et elle a rencontré le prince. Pourtant, à la fin, ils ne se marièrent pas et n'eurent pas beaucoup d'enfants ! En effet, les deux protagonistes principaux sont eux-mêmes de très jeunes gens, tous deux orphelins de mère et incapables de couper ce cordon pour vivre d'autres relations. Remarquablement interprété par Caroline Donnelly (qui joue aussi la seconde sœur), le prince n'a rien de charmant : petit rondouillard introverti, il est trop habité par l'attente de sa mère pour chercher une princesse. Contrairement à ce qu'espérait le roi, Sandra ne devient donc pas "la princesse de [s]on fils" (II, 13, p. 108) bien que les deux jeunes gens nouent une amitié.

Si Pommerat reprend certaines étapes du conte (souffrance de Cendrillon, préparatifs pour le bal, rencontre avec le prince, recherche de la jeune fille à l'identité inconnue), il en modifie les causes et les enjeux pour proposer une nouvelle interprétation de son personnage éponyme. Il distille toutefois tout au long de sa pièce des clins d'œil au récit original, comme pour souligner et masquer à la fois les libertés qu'il prend à son égard. L'allusion la plus frappante est celle des chaussures de bal : ce n'est pas Sandra qui perd sa chaussure en quittant le palais mais sa belle-mère ; c'est la chaussure du prince qui sert de signe de reconnaissance à la fin et non celle de la jeune fille. Comiques, ces déplacements (II, 12-13) mettent en valeur les divergences de la pièce de Pommerat avec les interprétations traditionnelles du conte.

Sa *Cendrillon* n'est pas une métaphore de la rivalité fraternelle et de l'importance du mariage pour l'évolution des jeunes filles. Pourtant ces thématiques sont toujours présentes : la colère de la belle-mère lorsque ses deux filles embrassent et déshabillent un mannequin à qui elles font jouer le rôle du prince (II, 2, photo n° 2) réinvestit en filigrane le thème de l'initiation sexuelle des filles qui, en se mariant, prennent symboliquement la place de leurs mères, une place que la belle-mère, persuadée de paraître plus jeune que ses filles, ne veut pas céder. L'exclamation de la sœur aînée "je me ferais couper un pied pour pouvoir voir le prince avant tous les autres" (II, 2, p. 64) est une allusion explicite aux pieds coupés saignant dans les étroites pantoufles chez Grimm (image que l'on a parfois interprétée comme une métaphore de la perte de la virginité). Mais, on peut aussi mettre cette amputation fantasmée en relation avec les transformations que font subir à leurs corps la belle-mère et ses filles lors de leurs préparatifs pour le bal. Dans la transposition du conte à l'époque contemporaine réalisée par Pommerat, la chirurgie esthétique se substitue aux coiffures, mouches et corsets avec lesquels les sœurs cherchaient à modifier leur apparence dans le conte de Perrault. Cette équivalence ne fonctionne cependant pas comme l'analogie d'une situation réelle : dans la pénombre et sur une musique inquiétante, la scène 3 de l'acte II décrit les chirurgiens comme des personnages "énigmatiques" aux effets "foudroyants", et présente les grandes oreilles comme le dernier style à la mode !

Photo n⁰ 2 (Acte II, scène 2)
Noémie Carcaud, Caroline Donnelly

Ainsi, des éléments qui, adaptés et modernisés, auraient pu nous sembler familiers demeurent étranges. Cela d'autant plus pour un public français que, en transposant le récit en dialogue de théâtre, Pommerat a fait le choix d'une langue contemporaine, à la syntaxe orale et parfois vulgaire, calquée sur la parole des acteurs belges avec lesquels il a créé la pièce mais dont l'accent (comme l'accent italien de la narratrice) et l'habitude d'utiliser "septante" et non soixante-dix par exemple (I, 13, p. 56) donnent à cette langue quotidienne une certaine étrangeté. Cette manière de parler fait naître un sentiment de proximité en actualisant les personnages sans qu'ils deviennent pour autant tout à fait réalistes. Une étude précise des costumes d'Isabelle Deffin confirmerait cette impression, sorte d'oscillation entre la reconnaissance et la surprise que provoquent certains décalages. De la sorte, le lecteur-spectateur reconnaît des éléments du conte, mais comme dans "l'inquiétante étrangeté" freudienne, cette histoire qui lui était familière depuis son enfance apparaît soudain autre, inconnue, troublante.

Les oiseaux ne viennent pas en aide à Cendrillon comme dans la version des frères Grimm, mais s'écrasent sur les vitres d'une maison de verre que la jeune fille nettoie au racloir en ramassant les cadavres ; lorsque les oiseaux cessent de tomber à la fin de la pièce, le bruit de leur chute perdure. Dans ce conte revisité, l'étrange et le fantastique l'emportent en partie sur le merveilleux. Est-ce à dire que toute féerie et toute magie ont disparu ? Cette question guidera la fin de notre analyse d'abord consacrée aux thèmes du deuil et de l'interprétation, deux éléments clefs de la réécriture du conte par Pommerat.

UN DEUIL IMPOSSIBLE :
COMPLEXE DE LA MÈRE MORTE ET BONTÉ APPARENTE

Et puis un jour, on lui dit que c'était sans doute la dernière fois qu'elle la verrait [...]. Le lendemain,

la mère de la très jeune fille mourut. A partir de
ce jour, comme elle croyait que sa mère le lui
avait demandé, la très jeune fille se promit de ne
plus jamais cesser de penser à elle.

(I, 2 et 3, p. 11-13)

Comme le soulignent Nicole Belmont et Elisabeth Lemirre dans leur anthologie des différentes versions du conte, "le préliminaire obligé de toutes les formes narratives de « Cendrillon », c'est la mort de la mère[1]". De même que les mauvais traitements subis par la jeune fille de la part de sa belle-mère et le renversement final provoqué par la rencontre avec le prince, ce décès est un invariant du conte. Mais toutes les versions ne lui accordent pas la même importance : la plupart ne font que le mentionner sans le développer, certaines lui consacrent quelques lignes – notamment lorsque Cendrillon, influencée par une sorcière ou une autre femme, est la meurtrière de sa propre mère. Comme l'a remarqué Bruno Bettelheim dans *Psychanalyse des contes de fées*, "quand la mère de Cendrillon meurt, on ne nous dit pas que l'héroïne est affreusement affligée, que son deuil la fait souffrir, qu'elle se sent seule, abandonnée, désespérée ; on nous dit simplement : « Chaque jour, désormais, la fillette se rendit sur la tombe de sa mère, et chaque jour elle pleurait. »[2]". Le conte traduit par des

---

1. Nicole Belmont, "Cendrillon : une affaire de femmes ?", in Nicole Belmont et Elisabeth Lemirre, *op. cit.*, p. 377. Pour une approche psychanalytique du complexe de la mère morte, voir André Green, *Narcissisme de vie, narcissisme de mort*, Paris, Minuit, coll. Critique, 1983.
2. Bruno Bettelheim, *Psychanalyse des contes de fées*, Paris, Robert Laffont, coll. Pocket, 2007 [1976], p. 237-238.

images les états de ses personnages. Sans trahir cet aspect propre au genre, qui montre plus qu'il ne démontre ou n'explique, Pommerat place sa réécriture sous le signe du deuil et rend visible, avec le personnage de Sandra, un complexe phénomène d'intériorisation de la douleur.

La "très jeune fille" et le "très jeune prince" ont tous deux perdu leur mère. Ces deux personnages fonctionnent en miroir, leur rencontre les aidant mutuellement à accepter cette perte qui les a, chacun d'une manière différente, coupés du monde. Comme l'explique l'auteur-metteur en scène, qui a lui-même perdu son père à l'âge de quinze ans :

> Je me suis intéressé particulièrement à cette histoire quand je me suis rendu compte que tout partait du deuil, de la mort (la mort de la mère de Cendrillon) [...]. C'est la question de la mort qui m'a donné envie de raconter cette histoire, non pas pour effaroucher les enfants, mais parce que je trouvais que cet angle de vue éclairait les choses d'une nouvelle manière [...], peut-être aussi parce que comme enfant j'aurais aimé qu'on me parle de la mort [...][1].

Le conte de Pommerat se démarque ainsi de la version de Perrault, qui commence avec les "secondes noces" du père sans mention explicite du décès de la mère de Cendrillon, de même que du dessin animé romantique de Walt Disney. Son texte est plus proche de celui des frères Grimm qui débute avec les dernières paroles de la mère à sa fille. La deuxième scène représente Sandra au chevet de sa mère et toute l'intrigue se noue à partir de ses

1. Joël Pommerat, entretien avec Christian Longchamp, *op. cit.*

derniers mots mal interprétés. Dès ses premières notes de travail sur *Cendrillon*, Pommerat a choisi comme "point de départ de la tension dramatique" le fait que la jeune fille "se donne comme obligation, pour la vie, la vie entière/de ne jamais oublier sa mère/ne jamais laisser passer une seule heure sans penser à sa mère[1]". Apparemment convaincue que la vraie mort c'est l'oubli et non une disparition physique, Sandra se prive du plaisir de "laisser son imagination prendre possession de ses pensées" (I, 3, p. 13) afin de maintenir mentalement sa mère en vie dans "un endroit secret invisible tenu par des oiseaux" (des oiseaux protecteurs comme chez Grimm). Elle s'impose en conséquence des mauvais traitements dès qu'elle sent son esprit se disperser et mettre en péril sa promesse de ne pas laisser s'écouler "plus de cinq minutes" sans penser à sa mère.

D'un point de vue psychanalytique, on pourrait avancer qu'à travers le personnage de Sandra, Pommerat donne forme au sentiment de culpabilité souvent ressenti par un enfant lorsqu'il perd l'un de ses parents et représente un transfert de l'angoisse d'abandon ressentie au moment du décès : Sandra transforme sa peur d'être quittée par sa mère en une peur de l'oublier, de l'abandonner à la mort. A travers sa promesse, elle s'érige en responsable de la vie de sa mère. Inversant la relation maternelle, elle se prive ce faisant de l'insouciance de l'enfance[2]. L'angoisse qui

---

1. Notes inédites de Joël Pommerat.
2. A la manière d'Electre, figure mythique du deuil impossible, la très jeune fille se coupe également de la possibilité d'aimer une autre personne – le prince, dont la rencontre dans le conte originel marque le passage de l'enfance à l'âge adulte ; faire le deuil de sa mère permet

découle de l'impossibilité d'honorer une telle promesse provoque une perte de l'estime de soi et un sentiment de culpabilité, qui se traduisent par un comportement masochiste : "Je crois que ça va me faire du bien de me sentir un peu mal", déclare l'héroïne lorsqu'elle est installée à la cave (I, 6, p. 25).

En plaçant la question du deuil au centre de son travail, Pommerat soulève effectivement celle de la bonté de Cendrillon, partant de l'hypothèse que cette bonté est l'apparence d'un autre sentiment beaucoup plus complexe. "Je suis pas du tout gentille ! Si les gens pouvaient voir comment je suis vraiment en vrai", clame Sandra à son père (I, 10, p. 34). D'une "douceur et d'une bonté sans exemple" chez Perrault, la jeune fille s'applique à rester "pieuse et bonne" comme sa mère le lui a demandé dans la version de Grimm, mais selon Pommerat une telle "bonté gratuite" n'est pas "crédible" :

> J'ai ressenti que si cette jeune fille était aussi bonne, ce n'est pas parce qu'elle avait cette faculté, cette qualité, plus que les autres, c'est qu'en fait, elle était dans une sorte de processus [qui consiste à] chercher comment se punir, se faire du mal, et du coup, à prendre en charge dans un grand nombre de situations tout ce que les autres ne voulaient pas faire pour se le coltiner et en faire une sorte de châtiment. Donc on n'est plus dans de

symboliquement à Cendrillon de prendre sa place en accédant au statut de femme mariée susceptible de devenir mère à son tour. Mais cette relation amoureuse et matrimoniale n'est pas au centre des préoccupations de Pommerat, nous l'avons vu.

la bonté gratuite, mais on est proche [...] d'une forme
de masochisme – un mot moderne pour dire les choses[1].

Sandra rejoint ainsi une cohorte de personnages du
théâtre de Pommerat à travers lesquels il interroge l'ambi-
valence du bien et du mal. Il est par exemple dit d'Estelle
de *Ma chambre froide*, que Pommerat compare lui-même
à "une sorte de Cendrillon", qu'elle "aime plus que tout
faire le bien mais que, décidément, elle est peut-être surtout très amoureuse du mal…[2]".

"VOILÀ L'HISTOIRE"

Réécrite sous l'angle du deuil et d'une culpabilité masochiste, la véritable intrigue du *Cendrillon* de Pommerat
pourrait donc tenir en ces quelques lignes :

> Si ça se trouve, je suis une vraie salope… Et j'ai oublié
> de penser à ma mère pendant je ne sais pas combien de
> temps, et peut-être qu'à cause de ça ma mère elle est
> tombée dans la vraie mort maintenant… *Voilà l'histoire*,
> vous êtes contente[3] !

La reprise, à la fin de la pièce, de la scène de Sandra au
chevet de sa mère mourante (voir photo n° 7) souligne
à quel point le récit repose sur la relation de ces deux

1. Joël Pommerat, entretien avec Kathleen Evin, *op. cit.*
2. Joël Pommerat, *Ma chambre froide*, Arles, Actes Sud-Papiers, 2011,
p. 101.
3. P. 51, nous soulignons.

personnages, relation que fantasme Sandra à partir des derniers mots inaudibles de sa mère. De cette première relation biaisée découle une série d'autres relations problématiques entre Sandra et son entourage. La nouvelle approche du personnage entraîne une modification de la structure du conte originel : le renversement du malheur de la servitude au bonheur d'un mariage avec le prince laisse place à une dynamique dramatique fondée sur l'évolution intérieure du personnage de Sandra. Enfermée dans son deuil impossible, la jeune fille traverse d'abord une sorte de descente aux enfers. Elle rencontre ensuite la fée, puis le prince, qui provoquent en elle une prise de parole, prise de conscience entraînant son retour à la réalité. Bien que Pommerat affirme s'être peu intéressé aux analyses psychocritiques du conte et ancrer sa réécriture dans son ressenti personnel, l'allusion à la psychanalyse lors de la première apparition de la fée (I, 13, p. 57) montre qu'il n'est pas si étranger à ce type de référence et autorise selon nous un réinvestissement de cette approche pour l'analyse dramaturgique.

Le drame intérieur de Sandra se noue très rapidement dès les premières scènes de l'acte I ; la rapidité de l'enchaînement des faits donne à sentir toute la violence de l'arrachement qu'est la perte soudaine d'un être aimé (toujours soudaine même si prévisible ou annoncée). La locution temporelle "et puis un jour" marque cette rupture alors que la narration à l'imparfait donnait plutôt une valeur itérative au dialogue de Sandra avec sa mère ("c'était pas simple... souvent", p. 11). Immédiatement suivie par le décès de la mère "le lendemain", la promesse de la très jeune fille de penser sans cesse à elle enclenche "à partir de ce jour" (p. 13) un pervers mécanisme de deuil impossible et

coupable : "Elle commença à s'en vouloir." Scéniquement, Pommerat réussit à souligner le poids de ce sentiment tout en l'allégeant de manière comique grâce à une
loupe qui grossit et déforme le visage de Sandra (photo
n° 3). Le sac à dos, qui contient des photos de sa mère et
qu'elle refuse de déposer lorsqu'elle arrive dans sa nouvelle maison, pourrait aussi être interprété comme le signe
de cette angoisse qui pèse sur ses épaules et dont elle ne
peut se défaire. Le "pose ce sac" hurlé par la voix de la
belle-mère dans le noir de transition entre les scènes 5 et
6 n'en devient que plus saisissant.

Photo n° 3 (Acte I, scène 3)
Deborah Rouach

Privée de la robe de sa mère avec laquelle elle avait l'habitude de dormir, seule dans une cave effrayante, Sandra s'évade alors grâce à son imagination et oublie de penser à sa mère, oubli dont elle cherche ensuite à se punir : "Mais quelle punition serait à la hauteur du crime qu'elle avait peut-être commis cette nuit-là?" (I, 9, p. 32). La scène de répartition des tâches ménagères entre Sandra et les filles de sa future belle-mère (scène 10) donne une réponse immédiate à cette question : lors d'un crescendo de la colère de la belle-mère tout aussi comique que terrifiante, relancée à chaque évocation de sa mère par Sandra, la très jeune fille se voit imposer les corvées les plus pénibles. Elle est ensuite victime de la méchanceté puérile des sœurs (faux appel téléphonique de sa mère, scène 11) : dans le spectacle, ce duo ridicule et méchant, portant les mêmes robes à motifs désuets, s'exprimant parfois d'une seule voix en chœur, évoque conjointement Laurel et Hardy, Anastasie et Javotte (Disney) et une hydre à deux têtes! L'installation du corset de maintien (scène 12) marque une autre gradation dans la souffrance que Sandra croit mériter. Imposé par la belle-mère pour corriger sa posture, le corset rend visible la carapace que s'est bâtie Sandra et l'aveuglement de son entourage qui l'y maintient au lieu de l'aider à en sortir (photo n° 4) ; mais une fois encore, ce signe produit l'effet comique d'une démarche mécanique, effet qui désamorce sa charge symbolique et garantit plusieurs niveaux de réception au spectacle.

L'avilissement et l'autopunition de Sandra atteignent leur paroxysme dans la dernière scène de l'acte I où nous apprenons qu'elle ne mange plus et maigrit sans

Photo n°4 (Acte I, scène 12)
Caroline Donnelly, Catherine Mestoussis, Noémie Carcaud,
Alfredo Cañavate, Deborah Rouach

se plaindre : la narratrice se demande en conséquence "jusqu'où ça irait comme ça?" (p. 48). L'apparition de la fée à ce moment critique rompt immédiatement le suspens et marque un changement dans la trajectoire du personnage, même si Sandra demeure enfermée dans la carapace de sa promesse et finit par mettre sa marraine à la porte ("Je suis en train de laisser passer le temps [...]. Barrez-vous je vous dis et vite!", p. 57). Cependant, cette scène laisse présager l'évolution à venir dans la mesure où Sandra verbalise pour la première fois son sentiment de culpabilité (p. 51). "Allez, on se lève, c'est fini la psychanalyse", ordonne Sandra à la fée. Mais contrairement aux apparences (la fée allongée, comme dans une séance de psychanalyse, qui raconte sa difficulté à être immortelle), c'est la souffrance névrotique de Sandra qui réussit ici à s'exprimer. Cette verbalisation est la première étape d'une prise de conscience concrétisée à l'acte suivant.

Le second acte s'ouvre avec la lettre d'invitation au bal, indice d'un dénouement positif à venir pour le spectateur familier du conte. Mais, loin de recourir au *deus ex machina* de la fée marraine qui permet à Cendrillon de renverser son destin en lui pourvoyant d'incroyables parures (transformation superficielle), Pommerat aborde le changement de situation de Sandra comme le double résultat des circonstances extérieures et de son évolution intérieure. Si l'apparition de la fée est déterminante, ce sont les mots que prononce Sandra en sa présence et non un coup de baguette magique qui transforment le personnage : lors de ses préparatifs pour aller au bal (scène 4), Sandra reconnaît qu'elle "énerve tout le monde" avec sa mère. Il est amusant de souligner qu'en raison d'une petite défaillance de la "magic magique" de la fée, la très jeune fille prononce ses paroles alors qu'elle est "déguisée en mouton" (p. 73, photo n° 5) : ce changement de costume met en valeur l'amorce d'un changement intérieur du personnage, tout en redonnant à la très jeune fille un peu de la légèreté enfantine qu'elle avait perdue en se dédiant exclusivement à la pensée de sa mère (quelque chose "de plus important et de plus adulte", p. 50). La fée commence également à libérer Sandra de sa promesse en clarifiant un des enjeux du travail de deuil : "On ne te demande pas de ne plus penser à ta mère, on te demande de ne pas y penser tout le temps [...]. Elle est morte ta mère" (p. 92).

La chanson de Cat Stevens ("Father and Son", photo n° 6) interprétée par le prince exerce ensuite une autre influence sur Sandra *("Keeping all the things I knew inside / It's hard, but it's harder to ignore it")*, influence que la pièce se garde d'expliciter jusqu'à leur dialogue de la scène 12. Cette scène scelle le retour au réel de la très jeune fille : "Moi aussi faut que j'arrête de me raconter des histoires, me raconter qu'elle va peut-être revenir un jour ma mère, si je pense à elle continuellement" (p. 102). L'histoire du très jeune prince orphelin trompé par son père, qui lui fait croire depuis dix ans que sa mère est bloquée loin du royaume à cause de grèves incessantes des transports, fonctionne comme un miroir révélateur pour la très jeune fille (similitude que soulignait d'emblée

Photo n° 5 (Acte II, scène 4)
Deborah Rouach

l'appellation des personnages dans les didascalies). Les deux personnages peuvent partager leur expérience.

La rencontre avec le prince marquant l'accès de Sandra à une parole vraie, elle demande à la fin de la pièce à la fée de réentendre les derniers mots de sa mère. La réapparition de ce moment inaugural grâce à une projection vidéo met en valeur le chemin parcouru. Nous voyons deux Sandra sur scène (photo n° 7) : dans l'image, elle est penchée en avant vers sa mère puis tirée en arrière par son père, comme elle sera ensuite tiraillée entre le souvenir de sa mère et le présent ; sur scène, on voit une autre Sandra, apaisée et accompagnée de sa nouvelle amie, la fée, dont le rôle de substitut maternel est rendu d'autant plus visible que c'est la même comédienne qui interprète les deux rôles (Noémie Carcaud joue la mère dans le film projeté, la fée et la sœur aînée).

Photo n° 6 (Acte II, scène 7)
Caroline Donnelly, Deborah Rouach

Pour souligner une dernière fois l'importance du deuil dans le malheur de Sandra-Cendrillon et les déplacements qu'il engendre, on peut rapprocher la réécriture de Pommerat du schéma canonique du conte formalisé par Greimas et Propp. Ce schéma actantiel distingue des opposants et des adjuvants par rapport à un sujet lancé dans une quête, commanditée par un destinateur au bénéfice d'un destinataire. Mais Sandra (sujet) n'est pas en quête d'un prince charmant (objet) : elle ne manifeste par exemple aucune envie d'aller au bal lors de la scène de l'essai des robes (p. 64), et elle explique ensuite à la fée qu'elle n'a pas "la tête à ça" (p. 69). Sa belle-mère n'est donc pas un opposant à son désir, mais un adjuvant à la souffrance qu'elle s'impose pour se punir d'oublier sa mère : Sandra est à elle-même son propre opposant. De ce point de vue, avant de devenir l'adjuvant de son apaisement, la fée est d'abord un opposant puisqu'elle détourne la jeune fille de ses pensées. Quant au prince, il n'est pas l'objet de la quête de Sandra mais, pourrait-on dire, une sorte d'objet transitionnel vers un bien-être personnel. Le destinataire n'est ni le mariage ni l'amour, mais le désir de vivre et le bonheur individuel de Sandra. On peut également souligner que la jeune fille occupe auprès du prince la même place que la fée auprès d'elle : elle le distrait (au sens négatif puis positif) de ses préoccupations, l'aide à accéder à la vérité et à retrouver un désir de vivre. Alors que les contes ont tendance à extérioriser les conflits à travers des personnages archétypaux qui sont les supports de multiples interprétations possibles, Pommerat rend manifeste une intériorisation du conflit : avec le personnage de Sandra, sujet et opposant se confondent. Ce choix ne fait pas pour autant perdre son mystère au conte, car l'interprétation n'est ni démonstrative ni close ; la rencontre avec la fée, par exemple, n'est pas qu'une métaphore du travail de deuil et de l'accès à la vie adulte, elle s'inscrit aussi, en contre-point avec le personnage de la belle-mère notamment, dans un réseau de significations questionnant le rapport des personnages au temps et leur croyance dans le merveilleux.

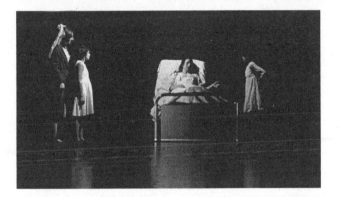

Photo nº 7 (Acte II, scène 14)
Noémie Carcaud, Deborah Rouach

DES MOTS ET DES MAUX :
LE RISQUE DU MALENTENDU

Tout le drame de Sandra repose sur un malentendu : lit-téralement, elle a mal entendu les dernières paroles de sa mère, et elle les a donc inventées. Dans le spectacle, l'ajout de surtitres dans la deuxième scène ("Ma chérie il faut que je te dise que je vais bientôt mourir", p. 11) permet d'emblée aux spectateurs de voir la manière dont Sandra, qui traduit autre chose ("je le sais ça, que t'as toujours envie de dormir"), réécrit la réalité. Le public est rendu d'autant plus sensible à ce problème de perception et d'interprétation qu'il est lui-même dès le début du spectacle invité à imaginer : "Si vous avez assez d'imagination, je sais que vous pourrez m'entendre. Et peut-être même me comprendre" (p. 9) ; cette dernière phrase, construite en hyperbate, souligne à quel point la compréhension, la bonne entente, est un phénomène fragile et hypothétique. "C'est pas si simple de parler et pas si simple d'écouter", prévient encore la narratrice qui place son récit sous le signe du danger des mots "si on les comprend de travers".

La mise en scène redouble cette question de l'interprétation en proposant au spectateur un dispositif qui dissocie l'ouïe et la vue. La voix de la narratrice diffusée en off, une voix de femme à l'accent étranger, ne correspond pas à l'image de la scène : au centre du plateau, dont les murs sont changés en ciel azur par une projection vidéo, se trouve un homme. Il fait des gestes qui peuvent évoquer une traduction en langue des signes stylisée et chorégraphiée. Quelques mots, tels "histoire", "dire", "imagination", apparaissent également projetés en fond de scène (photo n° 8). Dits, signés, écrits, les mots sont des signes à interpréter, selon la perception de chacun.

De manière burlesque, la scène 4 représente aussi une situation de malentendu : le père fait semblant de comprendre les gestes que lui adresse la belle-mère à travers la vitre et part dans la direction opposée à celle qu'elle lui a indiquée ! Dans la scène 9 de l'acte II, la belle-mère est à son tour victime d'un malentendu : elle

Photo n⁰ 8 (Acte I, scène 1)
Nicolas Nore

surinterprète les paroles du roi en pensant être la jeune femme recherchée. Pommcrat met ainsi en scène à plusieurs niveaux les "conséquences catastrophiques" (I, 1, p. 9) que peuvent avoir les mots sur la vie de ceux qui les interprètent mal.

Si l'exemple de Sandra montre que "les erreurs ont une fin heureusement" (II, 15, p. 112), la pièce dans son ensemble inscrit également le risque de la mésinterprétation dans une réflexion sur l'usage de la parole. Les paroles magiques de la fée mises à part, il apparaît que l'attitude des adultes quant à la parole, la leur et celle de leurs enfants, est partie prenante des malentendus et mal-être. Le père de Sandra refuse de prendre en considération les dires de sa fille, qu'il qualifie "d'histoire de gosse" (I, 5, p. 18) ou de "délire de gosse" (I, 6, p. 25). Pour se débarrasser de la robe de sa rivale décédée, sa future femme lui conseille de dire à Sandra "n'importe quelle autre salade qu'on raconte aux enfants", (I, 8, p. 31). Le roi de même a menti à son fils pendant dix ans. Victimes de leur imagination, les très jeunes gens le sont donc aussi de la surdité ou des mots des adultes. Le père et la belle-mère ne cessent de manipuler ou de contredire la parole de leurs filles : "tais-toi", "on ne discute pas", "on ne parle plus de ta mère ici", entend-on par exemple successivement dans la scène 10 de l'acte I. Cette série d'impératifs est bien sûr à mettre en perspective avec la représentation des relations entre parents et adolescents ("c'est comme ça que tu parles à ton père ?! ça va pas pouvoir se passer comme ça ici tu sais !", p. 18) mais, plus profondément, elle révèle aussi comment, aujourd'hui comme hier, les enfants ne sont pas toujours considérés comme des personnes à part entière. Trompés par les mots ou interdits de parole, ils sont maintenus au statut d'*infantes* (*infans, infantis* : celui qui ne parle pas). Les paroles de la chanson de Cat Stevens, reprises par le Prince ne disent-elles pas *"It's always been the same, same old story. From the moment I could talk I was ordered to listen"* ?

IMAGINATION ET RÉALITÉ

> *On se raconte des histoires dans sa tête, on sait*
> *très bien que ce sont des histoires, mais on se les*
> *raconte quand même...* (II, 12, p. 100)

Si le deuil est l'axe principal de la réécriture de *Cendrillon* par Pommerat, sa pièce rejoint aussi une réflexion menée à l'échelle de toute l'œuvre sur la difficulté qu'éprouvent certaines personnes à (se sentir) exister : représentations collectives, idéaux, fantasmes ou hallucinations parasitent leur perception et leur représentation du réel et d'elles-mêmes. Cette tension entre réalité réelle et réalité perçue ou imaginée traverse toutes les pièces de Pommerat, selon qui "le réel, c'est à la fois l'apparent et le mental, le monde matériel, mais aussi le monde imaginaire, le monde de nos représentations [...]¹". Dans *Les Marchands*, par exemple, la meilleure amie de la narratrice, qui dialogue avec sa mère morte et considère qu'il y a deux mondes (le vrai étant celui des morts), a perdu "le sens des réalités²". Le Présentateur de *Je tremble (1 et 2)* mène une cure de "désidéalisation" afin de regarder la femme qu'il aime telle qu'elle est et non telle qu'il l'imagine. Sandra de même vit entre deux mondes, et doit se défaire de ce qu'elle a imaginé pour atteindre une juste représentation de la mort de sa mère. Mauvaise interprétation, mensonge, difficulté à communiquer et imagination débordante perturbent le rapport des personnages au réel et leur image d'eux-mêmes : Sandra se dévalorise ("c'est moche ça me correspond", I, 13, p. 49), sa belle-mère se surestime.

Galvanisée par un discours sur l'importance des apparences et de l'action pragmatique, convaincue de ne pas faire son âge (ce que dément le choix de l'excellente

1. Joël Pommerat, entretien au Théâtre de Gennevilliers, 2007 (http://www.theatre2gennevilliers.com/2007-11/index.php/07-Saison/Interview-video-Joel-Pommerat.html).
2. Joël Pommerat, *Les Marchands*, Arles, Actes Sud-Papiers, 2006, p. 15-16, 20-22.

Catherine Mestoussis pour jouer le rôle), la belle-mère est en effet persuadée de ne pas être "considérée à [s]a juste valeur" (II, 2, p. 62). D'un côté, elle revendique d'être "une femme moderne" (I, 11, p. 43), qui vit dans une maison "très moderne" et "unique" (I, 5, p. 18), de l'autre elle manque pathétiquement de lucidité et se laisse emporter par sa frustration et son imagination. D'oppresseur, elle devient ainsi victime, ce qui apporte une nuance intéressante au personnage trop caricatural de la méchante belle-mère. Contradictoire, elle martèle à Sandra "faut arrêter avec les rêvasseries, faut rentrer dans la vie réelle" (I, 11, p. 42), puis reproche à ses filles de vivre l'invitation au bal comme un "rêve", mais elle confie au Prince qu'elle a l'impression d'être dans "un conte… ou un rêve…" (II, 12, p. 94). Contrairement à Sandra, sa belle-mère croit au prince charmant et aux contes de fées ! Comme l'écrit Pommerat dans ses premières notes sur la pièce, elle représente "une modernité bourgeoise/mais qui perpétue l'imaginaire du conte de fées ancestral, les histoires de princes et de princesses/ on s'habille comme des princesses[1]" :

> Elle est naïve, mais surtout, ce qui est intéressant théâtralement mais humainement condamnable, c'est qu'elle a de l'arrogance, elle pense qu'elle a raison. Elle est dans la pensée dominante. Je lui fais dire beaucoup de choses qu'on entend aujourd'hui sur le concret, […] être en phase avec les choses, agir, faire sa vie par ses propres moyens, etc. […]. Elle n'arrête pas de parler de vie réelle alors

---

1. Notes inédites de Joël Pommerat.

qu'en fait elle est une petite fille, midinette qui croit encore aux contes de fées, sauf qu'elle ne se l'avoue pas [...][1].

Photo n⁰ 9 (Acte II, scène 5)
Caroline Donnelly, Noémie Carcaud, Catherine Mestoussis,
Alfredo Cañavate

C'est d'ailleurs en grande partie par l'intermédiaire de ce personnage que sont comblées les attentes des spectateurs quant à la féerie des robes de bal, parures, rubans et froufrous.

Comme l'explicite la narratrice, la belle-mère a "imaginé les rois et les princes davantage comme dans un rêve que comme dans la réalité" (II, 5, p. 76). Dans le spectacle, à la fin de la scène de l'essayage des robes, les motifs géométriques qui couvrent les murs se mettent à défiler, évoquant le déroulement d'une pellicule : la

1. Joël Pommerat, entretien avec Kathleen Evin, *op. cit.*

belle-mère se fait des films, pourrait-on traduire selon l'expression familière ! Au moment de l'arrivée au palais, l'impression de mouvement ascendant créée par le défilement de ces motifs, les "tenues de bal de l'époque Louis XIV" éclairées par une lumière évoquant des flashs d'appareil photo et la musique baroque, font basculer en plein rêve (II, 5, photo n° 9). Mais cette représentation du type conte de fées est immédiatement contredite par le son d'une musique reggae, avant que le costume du père provoque l'hilarité générale à l'intérieur de la salle de bal. "Y'a un problème, c'est pas du tout comme ça qu'on avait imaginé les choses !", diagnostique la grande sœur paniquée (II, 6, p. 76, nous soulignons). A la fin de la pièce, c'est encore elle qui met en garde le roi lorsqu'il reconnaît Sandra comme la "princesse" de son fils : "Vous êtes en train de vous raconter une histoire dans votre tête Majesté" (II, 13, p. 107, nous soulignons). Sandra s'est elle aussi "raconté des histoires" sur la mort de sa mère, comme elle l'explique au prince qui comprend de son côté que "quelque chose [...] ne tournait pas rond dans cette histoire" de grèves interminables empêchant sa mère de le rejoindre (II, 12).

En mettant en scène cette tendance et ce besoin de se raconter des histoires ou des contes merveilleux, Pommerat explore ce qu'il nomme dans certaines de ses notes "le conte du conte" : il fait le récit d'un problème d'interprétation et de croyance.

"C'est comme ça une fée?" (I, 13, p. 52), demande Sandra sceptique alors que la fée vient de débouler dans sa chambre, sortant à quatre pattes de son armoire avant de s'allumer une cigarette (photo n° 10). Après cette entrée, vécue comme une intrusion par la jeune fille, les confidences de la fée achèvent de l'humaniser tout à fait : dépourvue de baguette magique comme de la noblesse que l'on accorde d'ordinaire à ce personnage, la fée confie à Sandra qu'elle se fait "vraiment chier" depuis "à peu près trois cents ans" (p. 56). A l'inverse de la belle-mère qui lutte contre le passage des ans en refusant de vieillir, la fée trouve le temps long. Blasée par son immortalité et décidée à ne plus utiliser ses pouvoirs afin de ressentir le frisson du risque d'échec, elle fait rire en ratant ses tours de cartes et se révèle incapable de rhabiller Sandra pour le bal, même avec l'aide de sa "boîte magique". Quand elle les utilise, ses pouvoirs sont effrayants : elle déclenche une tempête pour prouver à Sandra qu'elle est bien une magicienne ; sa cabine d'habillage magique, matérialisée par un rideau scintillant et des sons cristallins mais dont il sort aussi de la fumée et d'énormes bruits, "fout la trouille" (II, 4, p. 73). "Et qu'est-ce qui va se passer là-dedans? Vous allez me faire quoi? De la magie magique ou de la magie amateur?" (p. 71). Cette scène est peut-être également une métaphore du théâtre, et celui de Pommerat s'affirme sans aucun doute du côté de la "magie magique".

Fée humaine et prince non charmant, on peut se demander où réside donc la magie de la pièce? Tout en réécrivant un conte désenchanté, Pommerat réussit à

Photo n° 10 (Acte I, scène 13)
Noémie Carcaud, Deborah Rouach

préserver l'enchantement et l'émerveillement du conte de fées en déplaçant en quelque sorte le merveilleux du récit originel dans la représentation scénique. Dans sa mise en scène, les séquences s'enchaînent en effet comme par magie : entre de brefs noirs, le plateau se métamorphose et les différentes scènes de la pièce se donnent à voir comme autant d'apparitions surprenantes et fascinantes. D'une certaine façon, Pommerat s'inscrit ainsi dans la lignée des spectacles à machines et féeries inventés à partir du conte au XIXᵉ siècle[1]. Les éclairages d'Eric Soyer et l'environnement sonore (musique, bruitage, voix relayées par des micros HF) assuré par François

1. Sur les reprises à la scène puis à l'écran de *Cendrillon* depuis la version de Perrault, voir le site de la BNF "Il était une fois… les contes de fées" (http://expositions.bnf.fr/contes/gros/cendrill/index.htm).

Leymarie invitent le spectateur à une expérience sensible totale. La lumière, la vidéo et les sons font vivre des espaces distincts, presque sans éléments de décor ou accessoires. Le contraste est saisissant par exemple entre la noirceur et le dénuement de la chambre de Sandra, le clinquant et la vastitude des autres pièces de la maison de verre (voir photos n° 1, 4 et 10). Celle-ci évoque à la fois la modernité ridicule des films de Jacques Tati et les palais de Walt Disney tout en miroirs et dallages imposants. Les dernières minutes du spectacle sont représentatives de cet art de la Compagnie Louis Brouillard pour les métamorphoses spectaculaires : la maison de verre où résonne le bruit de la chute d'oiseaux invisibles laisse place à l'espace bleu, épuré et onirique du narrateur, puis la chambre de la mère réapparaît grâce à une projection vidéo, intime et sombre, bercée par une musique triste et répétitive ; sans transition, l'énergie de la danse de Sandra et du prince sous une lumière colorée stroboscopique (photo n° 11) rompt ensuite avec cette solennité pour finir sur une note d'espoir (admirablement portée par la voix de Jeanne Added dans un morceau d'Antonin Leymarie), avant l'ultime retour du mouvement régulier du narrateur pour clore la pièce. Emporté par la beauté des images et leur succession rapide, le spectateur l'est aussi émotionnellement, passant de l'inquiétude ou de l'étonnement à la tristesse puis à la joie et à l'apaisement.

L'émerveillement est soutenu par le rythme du spectacle et sa beauté plastique, qui fait fusionner tous les arts de la représentation. Pommerat reprend la temporalité linéaire et elliptique des contes ("il y a très longtemps", "un jour", "quelque temps plus tard", etc.), mais il découpe certains moments narratifs en plusieurs

Photo n° 11 (Acte II, scène 15)
Caroline Donnelly, Deborah Rouach

séquences ("quelques instants plus tard", "au même instant"), jouant dramaturgiquement avec ce qui peut évoquer des procédés cinématographiques de cuts ou de montage parallèle. L'intensité des images en mouvement qu'il élabore, le noir profond dans lequel baigne la salle ainsi que l'excellente sonorisation qui immerge le public dans le spectacle peuvent également susciter une comparaison avec le cinéma[1]. De la scène se dégage toutefois un sentiment de présence non ressenti devant un écran, et ce d'autant plus que le découpage en instantanés est fondamentalement lié à une démarche d'écriture

1. Marion Boudier, "« Je ne pense pas cinéma quand je fais du théâtre » : influences et effets cinématographiques chez J. Pommerat", in Marguerite Chabrol, Tiphaine Karsenti, *Théâtre et cinéma : imaginaires croisés*, PUR, coll. Le Spectaculaire, 2013.

qui place les acteurs et leurs présences singulières à son origine.

Dès ses premières notes pour *Cendrillon*, Pommerat imaginait une esthétique particulière, faite de "transparence", "translucidité", "projections", "couleur", "flou", "fragilité", "reflet", "bruits de verre". Pour la musique du spectacle, le compositeur Antonin Leymarie a par exemple fait appel à un joueur de glassharmonica et d'ondes Martenot (Thomas Bloch) pour enregistrer des mélodies cristallines, en écho avec certains espaces, comme la maison de verre ou la boîte magique de la fée, mais aussi en contraste avec le côté sombre du personnage de Sandra. Ces airs légers, parfois repris avec une clarinette démontée plus discordante et le mixage de certaines musiques contemporaines, donnent à l'environnement sonore son étrange familiarité, entre évidences et dissonances. Les projections vidéo, parfaitement fondues avec les éclairages et la scénographie, réussissent quant à elles à représenter scéniquement l'indétermination entre réalité et imaginaire qui caractérise le rapport des personnages au monde. Dans un subtil mélange de réalisme (le jardin de la maison) et d'abstraction (les papiers peints qui évoquent les pavages d'Escher ou les motifs psychédéliques qui couvrent les murs du palais par exemple), ces projections stimulent également l'imaginaire du spectateur et défient sa perception. L'espace devient mouvant, vertigineux, gagnant soudain en profondeur comme dans la scène de la course poursuite entre la belle-mère et ses filles dans les couloirs, dont les images sont projetées en fond de scène tandis que le père en avant-scène les salue de la main (II, 10, photo n° 12). Vidéo et lumière se réfléchissant sur une plaque de plexiglas ou un simple rideau à paillettes créent des miroitements étranges et des scintillements féeriques (voir photos n° 1 et 5). La récurrence des reflets (réels ou vidéographiques) donne à voir l'importance des apparences ("la première impression qu'on va produire", dit la belle-mère), leur charme et leur piège. Fascination et trouble spectaculaire vont ainsi de pair avec la tension dramaturgique profonde de la pièce : la difficulté de percevoir, interpréter et comprendre clairement.

Photo n° 12 (Acte II, scène 10)
Alfredo Cañavate, Caroline Donnelly, Noémie Carcaud,
Catherine Mestoussis, Deborah Rouach

On a déjà souligné la complémentarité du texte et du spectacle à travers certains effets comiques qui désamorcent la tension (la loupe), mais ils peuvent aussi la renforcer, par exemple lorsque les sœurs font croire à Sandra que sa mère lui téléphone : la ritournelle légère que l'on entend en fond sonore fait saillir leur hypocrisie et leur méchanceté. Si texte et mise en scène se complètent si bien, c'est qu'ils ont été écrits conjointement. En effet, comme pour toutes ses autres pièces, Pommerat n'avait pas écrit le texte de *Cendrillon* avant les répétitions. Il écrit avec la scène "instant par instant", c'est-à-dire en partant de la présence des acteurs en interaction avec l'espace, la lumière et le son, qui sont simultanément élaborés pour atteindre la plus grande justesse possible[1]. Pommerat a développé un processus d'écriture dont la première étape est la scène. Ce processus peut varier selon les spectacles, mais depuis *Pinocchio* et *Cercles/Fiction*, Pommerat explore une même démarche qui consiste à guider des improvisations pour donner forme aux situations et aux images qu'il a en tête. Cela signifie qu'il écrit avec ses comédiens et collaborateurs artistiques à partir d'une idée qu'il tente de reconstituer avec eux sur le plateau : il leur donne des indications de texte, de placement ou des états, d'intensité lumineuse ou de son, afin d'écrire directement avec eux sur le plateau au jour le jour.

Les premières notes de Pommerat pour *Cendrillon* datent de mai 2010. Le processus de création s'est ensuite étalé de mai à octobre 2011. En mai a eu lieu à Bruxelles un stage-casting afin de choisir la distribution. Pendant ce stage, certains membres de l'équipe artistique (vidéo, musique) ont aussi commencé à explorer avec Pommerat, dont ils avaient lu les notes, quelques éléments spectaculaires. Mais l'entrée en écriture s'est vraiment concrétisée

1. Voir "Comment travaillons-nous", in *Joël Pommerat, troubles*, *op. cit.*, p. 89-106.

lors d'une deuxième étape de travail en juillet avec les acteurs et l'équipe. La recherche a continué pendant une troisième session de répétitions au Théâtre national de Bruxelles en septembre, et jusqu'à la première[1]. Ainsi, Pommerat écrit texte et spectacle conjointement. Dans les jours qui suivent la première, il continue d'ailleurs à les modifier à l'épreuve des représentations et du public.

> Je n'écris pas des pièces, j'écris des spectacles. [...] Le texte c'est ce qui vient après, c'est ce qui reste après le théâtre [...]. Le théâtre se voit, s'entend. Ça bouge, ça fait du bruit. Le théâtre c'est la représentation [...]. Je me confronte à la question de la parole et des mots. Mais travailler le geste, l'attitude, le mouvement d'un acteur sera aussi important que travailler les mots. Je réfute l'idée d'une hiérarchie entre ces différents niveaux de langage ou d'expression au théâtre. La poétique théâtrale n'est pas seulement littéraire[2].

Pour que vive pleinement la *Cendrillon* de Pommerat[3], on pourrait donc souhaiter une longue tournée au

1. Sur cette dernière étape de travail collectif, voir les six courts documentaires diffusés dans l'émission *Ma vie d'artiste* sur France 5 en septembre 2011 (http://videos.france5.fr/channel/iLyROoafY9Rx. html#a_playlist).
2. Joël Pommerat, in *Joël Pommerat, troubles, op. cit.*, p. 19-21.
3. La captation du spectacle, réalisée par Florent Trochel (Axe sud production) et diffusée sur Arte en décembre 2012, permet d'appréhender l'expérience de la représentation, tout en ouvrant des pistes de réflexion sur la spécificité du théâtre. Malgré une nécessaire adaptation du spectacle au format télévisuel, ce film réussit à en faire sentir toute la beauté.

spectacle, "jusqu'à la fin des temps" comme il est dit à la fin des contes...

Le texte possède cependant une valeur propre qui rend possibles sa lecture et son analyse. Fruit d'une adaptation du conte qui n'est pas une simple dramatisation mais a été écrite en même temps qu'une recherche scénique, ce texte est au croisement de deux logiques concomitantes : il est d'une part un précipité du spectacle ou sa trace, mais d'autre part il fonctionne aussi comme un texte autonome qui invite chaque lecteur à rêver sa mise en scène. Il se prête donc à une lecture tant littéraire que dramaturgique et spectaculaire, et place son lecteur au cœur même de la spécificité de toute écriture théâtrale, le texte dramatique n'existant pas sans la scène, réelle ou imaginaire, dont il est le produit autant que le défi.

La pièce *Cendrillon* a été créée le 11 octobre 2011 au Théâtre national de Bruxelles.

Texte et mise en scène : Joël Pommerat
Scénographie et lumières : Eric Soyer
Assistant lumières : Gwendal Malard
Costumes : Isabelle Deffin
Son : François Leymarie
Vidéo : Renaud Rubiano
Musique originale : Antonin Leymarie
Recherches documentation : Evelyne Pommerat
Marie Piemontese
Miele Charmel

Interprétation : Alfredo Cañavate, Noémie Carcaud, Caroline Donnelly, Catherine Mestoussis, Deborah Rouach, Marcella Carrara (la voix du narrateur) et Nicolas Nore (le narrateur), José Bardio.

Assistant mise en scène : Pierre-Yves Le Borgne | Assistant mise en scène tournée : Philippe Carbonneaux | Régie générale : Michel Ransbotyn | Régie générale tournée : Emmanuel Abate | Régie lumières : Guillaume Rizzo | Régie son : Antoine Bourgain | Régie vidéo : Matthieu Bourdon | Régie plateau : José

Bardio, Stéphanie Denoiseux, Nicolas Nore | Habilleuse : Gwendoline Rose | Perruques : Laura Lamouchi | Stagiaire assistante mise en scène : Florence Guillaume | Réalisation décor et costumes : Ateliers du Théâtre national | Construction : Dominique Pierre, Pierre Jardon, Laurent Notte, Yves Philippaerts | Décoration : Stéphanie Denoiseux | Costumes : Nicole Moris, Isabelle Airaud, Muazzez Aydemir, Nalan Kosar, Gwendoline Rose, Catherine Somers et Nathalie Willems (stagiaire).

Remerciements à Agnès Berthon et Gilles Rico.

Production : Théâtre national de la Communauté française, en coproduction avec La Monnaie / De Munt. Avec la collaboration de la Compagnie Louis Brouillard.

BABEL

Extrait du catalogue

Ouvrage réalisé
par l'Atelier graphique Actes Sud.
Achevé d'imprimer
en novembre 2017
par Normandie Roto Impression s.a.s.
61250 Lonrai
sur papier fabriqué à partir de bois provenant
de forêts gérées durablement
pour le compte
des éditions Actes Sud
Le Méjan
Place Nina-Berberova
13200 Arles.

Dépôt légal
1re édition : juin 2013
N° impr. : 1705012
(Imprimé en France)